A Step By Step French Study Guide For Beginners

French Hacking

Table Of Contents

Step by Step French For Beginners - Alphabet & Numbers 15

A French Study Guide - 50 Most Used French Verbs 39

Learn French With Short Stories - The Adventures of Clara 73

Learn French With 14 Days Of Meditation & Mindfulness For Beginners 160

Learn French While You Sleep 236

French Stories - Beginner And Intermediate Stories To Improve Your French 362

Topics In This Book:

1. Numbers & Alphabet
2. 50 Of The Most Used Verbs
3. Short Stories - The Adventures of Clara
4. French Meditation and Mindfulness for Beginners
5. French While You Sleep - 1111 French Phrases
6. Beginner And Intermediate Short Stories

Who's it for?

Written for students who are just starting out or people who need a touch up on the basics (if you're familiar with the Common European Framework of Reference - CEFR it would be the equivalent to A1-B1)

Why you'll enjoy this book

This is not a typical French learning textbook. It was made in a way to seem like a friend is explaining it to you. It has a relaxed format so it's not stressful nor boring.

- Not a kids story, they have too many wizards and animals that you don't use in everyday speech.
- The story line is interesting and something you can relate to unlike children's books.
- There is relevant vocab you can use right away which will motivate you to read more.
- No dictionary needed as there's easy to follow translations under each paragraph.

BONUS

Follow us on Instagram @Frenchacking where we do daily posts on grammar, spelling, quotes and much much more!

— STEP BY STEP —
FRENCH FOR
BEGINNERS
ALPHABET & NUMBERS
FRENCHACKING

Step by Step French For Beginners - Alphabet & Numbers

Numbers

We're going to begin by learning to count to 9,999,999,999 (neuf milliards, neuf cent quatre-vingt-dix-neuf millions, neuf cent quatre-vingt-dix-neuf mille, neuf cent quatre-vingt-dix-neuf).

This will give you all the numbers you'll ever need. If it seems scary, don't worry, it's not as hard as it looks like!

Let's begin:

- zéro
- un
- deux
- trois
- quatre
- cinq
- six
- sept
- huit
- neuf
- dix

- onze

- douze
- treize
- quatorze
- quinze
- seize

And here's where it gets interesting and in some ways easier. After sixteen we have:
Dix-sept which literally means ten seven. Then follows dix-huit, eighteen and dix-neuf, nineteen.

Vingt is twenty, followed by
vingt et un which is literally twenty and one. Then the pattern becomes pretty similar to what we have in English where we have a stem and add the numbers between one and nine after them. So to continue the twenties we have:

- Vingt-deux
- Vingt-trois
- Vingt-quatre
- Vingt-cinq
- Vingt-six
- Vingt-sept
- Vingt-huit
- vingt-neuf

For thirty we have: trente, forty is quarante, fifty is cinquante and sixty is soixante. However once we get to seventy, eighty and ninety we have to use a little maths. To say seventy we have to say soixante-dix which is like saying sixty ten in English.

To say seventy one we would say soixante-onze, seventy two would be soixante-douze and the pattern would follow all the way up to seventy nine.

Eighty is a little tricky to get your head around at first since the French say quatre-vingts which is like saying four twenties in English. Little tip to remember when writing this is that quatre-vingts has an ‘s’ on the end however once you start counting above eighty, quatre-vingts loses the 's'. (Fun fact: if you go to Belgium it will be nonante)

Also quatre-vingt-un which is eighty one is the first time we see 'un' hyphenated to a number and not separate.

We continue with quatre-vingt-deux, quatre-vingt-trois etc all the way up to eighty nine and then for ninety we have... Can you guess it? If you got quatre-vingt-dix bravo!

To get to one hundred is simple enough since you know the pattern now and you would add the number between eleven and nineteen after quatre-vingt.

To make a larger number is very simple. You just need to learn a few more words. The ingredients you'll need to make larger numbers are:

- cent which is hundred
- mille is thousand
- million is million
- milliard is billion

There are a few little rules we need to go through to sound like a native speaker when saying numbers. There is no 'un' in front of one hundred like we have in English. So one hundred and twenty is 'cent vingt'.

To make other three digit numbers all we have to do is put a number between one and nine followed by cents. So two hundred will be deux cents. We have to remember that numbers larger than two hundred will have an ‘s’ on the end of 'cents'.

So two hundred and twenty two is 222 (deux cents vingt-deux)
Three hundred and fifty seven is 357 (trois cents cinquante-sept)
Seven hundred and ninety nine is 799 (sept cents quatre-vingts-dix-neuf)

This should give you the basic structure of how these numbers work.

Counting above one thousand is the same format but you add ‘mille’ in front of the numbers we just went through to form a four digit number.

Nineteen forty five will be 1945 (mille neuf cent quarante-cinq)
Three thousand four hundred and seventy nine is 3479 (trois mille quatre cents soixante-dix-neuf)
Ten thousand sixty nine is 10069 (dix mille soixante-neuf)

Four million four hundred thousand and ninety eight is 4,400,099 is quatre millions quatre cents mille quatre-vingt-dix-neuf.

One thing to remember is that ‘mille’ never takes an 's' even when plural where as 'millions' and 'millards' always take an 's' as plural.

Also notice how you don't need to put 'un' in front of cent or mille but you do need to put un in front of ‘millions’ or ‘milliards’ when they're singular.

zéro	dix	vingt	trente
un	onze	vingt et un	trente et un
deux	douze	vingt-deux	trente-deux
trois	treize	vingt-trois	trente-trois
quatre	quatorze	vingt-quatre	trente-quatre
cinq	quinze	vingt-cinq	trente-cinq
six	seize	vingt-six	trente-six
sept	dix-sept	vingt-sept	trente-sept
huit	dix-huit	vingt-huit	trente-huit
neuf	dix-neuf	vingt-neuf	trente-neuf

quarante	cinquante	soixante
quarante et un	cinquante et un	soixante et un
quarante-deux	cinquante-deux	soixante-deux
quarante-trois	cinquante-trois	soixante-trois
quarante-quatre	cinquante-quatre	soixante-quatre
quarante-cinq	cinquante-cinq	soixante-cinq
quarante-six	cinquante-six	soixante-six
quarante-sept	cinquante-sept	soixante-sept
quarante-huit	cinquante-huit	soixante-huit
quarante-neuf	cinquante-neuf	soixante-neuf

soixante-dix	quatre-vingt	quatre-vingt-dix
soixante-onze	quatre-vingt-un	quatre-vingt-onze
soixante-douze	quatre-vingt-deux	quatre-vingt-douze
soixante-treize	quatre-vingt-trois	quatre-vingt-treize
soixante-quatorze	quatre-vingt-quatre	quatre-vingt-quatorze
soixante-quinze	quatre-vingt-cinq	quatre-vingt-quinze
soixante-seize	quatre-vingt-six	quatre-vingt-seize
soixante-dix-sept	quatre-vingt-sept	quatre-vingt-dix-sept
soixante-dix-huit	quatre-vingt-huit	quatre-vingt-dix-huit

soixante-dix-neuf	quatre-vingt-neuf	quatre-vingt-dix-neuf

Accents

Before we get into going through the individual letters let's have a quick rundown of the accents that the French language have. You've probably already seen these funny squiggly lines when reading in French so let's go through and identify them as they can change the sound of a word sometimes.

There are five accents total, four for vowels and one for a consonant.

Acute accent *(pronunciation = ay)*
The acute accent (´), l'accent aigu, can only be found on top of the letter 'e' and is a line that goes from bottom left to top right. Café, canapé, étudiant, année, répétez, bébé, été, épaule, créé all have accent aigu on top of their 'e'.

Grave accent *(pronunciation = eh)*
The grave accent (`), l'accent grave is the little line that goes the other way so from top left to bottom right. This can be found on the vowels a, e or u. This accent is usually used to differentiate words that have the same spelling or pronunciation but different meanings. These are called homonyms and an example is 'ou' which translates to 'or' but with the accent above 'u' turns into where.

The pronoun 'la' will translate to 'the' but là with accent grave on top of the 'a' is there.

However you can also find it on other words that aren't homonyms which is to differentiate the sound. Some examples include: très, après, frère, père, mère and crème.

Circumflex

The circumflex (ˆ), l'accent circonflexe is a triangle without the bottom line so a bit like a hat which indicates that another letter, usually 's' followed the letter historically. For example the word écouter used to be escouter, être used to be estre and plaît used to be plaist. You'll find these on top of a, e, i, o or u.

Examples of words with l'accent circonflexe include: forêt, hôtel, dîner, fête, château, pâte, maître, bien sûr,

Tréma

Le tréma are the two little dots (¨) you'll see above the letters e, i or u. You'll see this when there are two vowels next to each other signifying that you must pronounce each vowel separately which is called the dierese. For example the words Noël, naïve, le maïs, haïr and canoë.

Cedilla

The cedilla (ç), la cédille is an accent you will only find on the letter c. It looks like a little 5 on the bottom of the c. It's to make the hard 'k' sound turn into a soft 'c' for example le garçon, ça, reçu, leçon and français. You'll never find it before the letters 'e' or 'i' since a soft 's' sound is automatically made, for example 'ici' or 'glace'.

If you're wondering if the french have words with the hard 'k' sound they do in words such as l'alcool, école and cul de sac.

Before we begin let's break down the French language so we know what we're working with and what we need to work towards.

There are 23 consonant sounds and 16 vowel sounds and you can form every single word in French using these sounds.

Sound complicated? Of the 23 consonant sounds in French, if you're a native English speaker you already know 20 of them and make these sounds every day. You can also ignore 6 of the vowel sounds for the same reason.

So the only new thing stopping you from perfect French pronunciation is 3 new consonant sounds and 10 new vowel sounds.

Let's go through the alphabet twice and see if you can pick out the ones we need to learn.

a "a"
b "beh"
c "ceh"
d "deh"
e "euh"
f "eff"
g "zheh"
h "ahsh"

i "ee"
j "zhee"
k "kah"
l "el"
m "em"
n "en"
o "oh"
p "peh"
q "ku"
r "air"
s "ess"
t "teh"
u "oo"
v "veh"
w "doobleh veh"
x "iks"
y "igrec"
z "zed"

What did you notice? Some of the letters are very similar to the English alphabet indeed. The letters f l m n s z are identical while b c d p t v are very similar. This leaves us with a, e, g, h, i, j, k, o, q, r, u, w, x, y. Don't be intimidated though, we already know the sounds of a few of these letters so there only a few more things we need to learn.

We're going to start from the beginning to keep it simple and go through each letter of the alphabet in a bit more depth to make sure we have the proper pronunciation for each letter. C'est parti.

A

To make the sound of the French 'a' say the word 'father'. If you take the 'f' away and continue saying the 'a' sound that's exactly how you say it in French. Now say 'quatre'. 'Quatre'. Or 'un ami'. 'Un ami'.

B

The beginning sound in 'buy' is how we get the French 'b'. Push your lips together and push out. Perfect. Now say after me. 'Bonbons'. 'Bonbons'. 'Bas'. 'Bas'.

C

If you see the letter 'c' it may have two possible pronunciations. The first one will sound like the beginning of when you say 'can' like 'c', 'c'. Par exemple: café, sec. The second will be a 'sss' sound like the beginning of cell. Other words include: 'Façon, cerise, facile, nièce, garçon et cette.'

There is also the 'c' with the cedille but it is the same sound as the second example with the 's' sound. I'm sure you've seen or heard the phrase 'ça va' before and might already be familiar with the sound.

So it's the same as to English where if the 'c' is before an 'e, i, y' it has the soft 'c' sound whereas if it's followed by 'a, o, u' it has the hard 'ka' sound except if it has the cedille.

Letter Combinations

Next we have the 'ch' sound which makes a 'cha' sound in English but a 'sh' sound in French. So when you see this treat it as you'd see 'sh' in English. Examples include: 'le chocolat chaud, le chanteur chante'.

D

'D' like the beginning of 'dad'. Repeat after me: 'La date, la date'. 'Mardi, mardi'.

E

This is a tricky letter as there are three different possibilities of pronouncing it when you see it. This is because of the accents which change the sound.

Without any accents the 'e' is pronounced 'euh' like the 'e' in the word 'angel' and you've probably already said it when you say 'le' or 'me'.

With the accent aigu, the one from bottom left to top right is pronounced 'ay'. We've already adopted a French word into the English vocabulary so you already know this sound. That word is fiancé. Now practice the sound by saying 'été, génial'.

Luckily ‘e’ with the accent grave and circumflex sound the same and have the ‘ey’ sound. Practice by saying the words: ‘exprès, tête’.

F

‘F’ like the beginning of ‘fat’ is the same as the French ‘f’. Put the bottom of your top teeth on your lower lip and push out. Now say ‘faim’. Good. Now ‘neuf’.

G

This letter has two different pronunciations as well. The first is the sound when we say ‘gag’ for words such as ‘bague’ or ‘gant’.

The second sound is a softer ‘zh’ sound like the one in ‘mirage’ or ‘usual’. Repeat after me, ‘gèle, aubergine, agé, imagine’.

H

In the French language the letter ‘h’ is always silent and never said however there are two different types of ‘h’ which let you know whether you need to make a liaison with the word before or not. These are sometimes called a plugged h and an unplugged h.

A plugged h allows a connection with the previous word for example the word homme. Un homme, des hommes and l'homme all have a connection or liaison. Other examples include l'hôpital, s'habiller, des hôtels.

An unplugged h has no connection with the previous word so there is a complete stop between the two words for example: un hobby, les hobbys, le hobby.

Unfortunately there isn't a rule to let us know if the 'h' is plugged or unplugged so you will have to learn them by heart as they come up for you.

I

You can find three different 'i's in the French language, one without an accent, one with a trema and one with a circumflex but luckily they all have the same sound. The sound is pronounced more or less like the 'ee' in 'fee' without the 'y' sound at the end. Now repeat after me: 'dix, lit, ami'.

However, the French 'I' is pronounced like the English 'Y' in the following instances:

1. When 'I' is followed by a vowel as in châtier, addition, adieu, and tiers.
2. When 'IL' is at the end of a word and preceded by a vowel as in orteil, orgueil, and œil.
3. In most words with ILLE such as mouiller, fille, bouteille, and veuillez.

J

Again we have a French word adopted into the English language, 'déjà vu' so this is an easy one. Practice by saying 'jambon' or 'déjeuner'.

K

This letter is a bit rare in French and doesn't come up often. It's like the beginning of the word 'kit'. Practice by saying 'kiosque' or 'ski'.

L

Another simple one. Say 'love' and keep the beginning sound of the word and you've got the French letter. Now say after me: 'fleur, mille'.

M

There are two ways of saying this letter. One like the sound produced when saying 'mom' for words such as 'madame' and 'comment'.

The other a nasal sound for words such as 'parfum' and 'embouteillage'.

N

Similar to M, this letter has two ways of saying it with the second being a nasal sound. The first is produced when saying 'no' for words such as 'neuf' and 'noir'.

The nasal sound is for words such as 'un' or 'pain'.

O

Saying the word 'solo' in English we can find the way 'o' is said in French. Try saying 'dos' or 'rose',

P

Another easy one. Say 'pie'. With the same 'p' sound say 'père' and 'soupe'. Voila.

Q

Like in English almost always the 'q' is followed by a 'u' and makes a 'kwa' sound like quick or quiz. In french however this isn't the case and is simply just a 'ka' sound. Repeat after me: 'quinze, la banque, moustiques, quai'.

R

This letter doesn't have an equivalent in the English language so is one of the more difficult sounds to learn.

It's not said in the middle of the mouth like we're used to in English but from the throat. A good way to find where the sound is made in your throat is to say the word koala. The bottom of the throat where the 'k' sound is made is the same place you want to begin when saying the French 'r'.

You can practice by opening and closing your throat and saying ra-ra-ra every now and then to get used to it.

If that example didn't work another way to learn is to say the word 'air' but keeping your tongue stuck to the bottom of your mouth. This might be difficult at first since your tongue will try to resist and come up but keep it down. Eventually you will begin to make the French 'r' noise from the back of your throat.

S

Another simple one. Say 'so' and we have the sound we need to say words such as 'sucre, poisson, fils'.

When however you are making a liaison with two words or the 's' is between two vowels it makes a 'za' sound. For example when saying 'visage', 'les amis' and 'ils ont'.

T

Another letter that is very straight forward. Say the word 'toe' in English and we have the sound we need to say 'la tarte, la tête, la tante, le tomate' in French.

When found in the combination 'th', the sound remains the same as for 't' by it self. For example, 'le thé' which sounds similar to the English word 'tea'.

U

Whether the 'u' has the circumflex, trema or neither it will always have the same sound. There is no English equivalent but the closest sound we have to this would be the 'oo' sound in food. Purse your lips together like you're about to whistle and then say 'oo' in food.

Another way to learn to produce the French U is to first try and pronounce the double 'e' sound in the word 'see'. From this position round your lips as if you were about to whistle. Have a go and see if you get it.

Examples of words with this 'u' sound include: 'bus, sucre, jupe, tu, rue and chute'.

V

Say 'vat' and we have the sound to say 'vert' or 'avion'.

W

This is another rare letter you don't see often but is an easy one to pronounce. It's the equivalent of the letter 'v' in English. So wagon in french would be pronounced 'wagon'.

Nine times out of ten the French will have stolen an English word such as 'wifi, wikipedia, kiwi,' etc so if you see the 'w' it will be pronounced the same as in English.

X

There are two ways to pronounce this letter and they can be found in the English words 'express' and 'exit'. The 'x' in 'express' is short and sharp while the 'x' in 'exit' is a bit slower and softer.

'Exprimer' and 'taxe' use the 'x' from 'express' and 'le Xérès' and 'un exemplaire' take the 'x' from exit.

Y

First of all we need to remember that this is the sixth vowel in French. As a vowel, it's pronounced like the 'y' in happy.

When 'Y' is at the beginning of a word or syllable, it's a consonant and is pronounced just like the English 'Y.' So if we say 'yes' we have the sound needed to also say 'yaourt' and 'yeux'.

Z

The French pronounce this similar to English but just with their accent. Say 'zed' as French as you can. The word 'zone' is spelt and said the same with only the endings differing.

Now practice saying the words: ‘bronzé and ‘treize’.

Conclusion

That's it for the alphabet! Don't worry if you still don't feel too confident, it takes time for this to sink in. Feel free to come back to and reread and re-listen to this any time. Before we finish we're going to go through some bonus tips and tricks that will help you on your French journey:

1. Generally you don't pronounce the final consonant in a word but there are exceptions that you will learn along the way. So if you're ever unsure, it's safer to just not say it.

2. Don't assume. Just because some things are pronounced one way in English, doesn't mean they'll be the same in French. It's better to give it a go how you would expect a French person to say it, than to say it in an English accent.

3. Try to imitate the accent. You may think it's silly to talk with one but it's even worse if you use a heavy american, irish, scottish or whatever accent you have, to talk french. Putting the accent on makes you sound far more authentic.

4. Contraction in French. Unlike English, contractions are not optional in French. Always contract words wherever possible. For e.g:

- Je appeler = j'appelle.
- ce est = c'est
- du = de le

- de les = des

A FRENCH
STUDY GUIDE
50 MOST USED FRENCH VERBS

A French Study Guide - 50 Most Used French Verbs

The first two verbs are the most important to French and it's vital to know them inside and out as they're needed to construct the French grammatical structures of the language. The first is:

Être - to be

The conjugation table goes like this. Follow along and say it out loud after me. Don't just say it in your head, it's a more effective learning process when you hear yourself say it.

je suis

tu es

il/elle est

nous sommes

vous êtes (make sure you do the liasion from the 's' to the 'e' which makes a 'z' sound)

ils/elles sont

Here are some sentences to help you remember the verb. Je pense donc je suis. I think therefore I am. Etre, ou ne pas être, c'est là la question. To be or not to be, that is the question. Je suis d'accord. I agree. In french, you are of agreement.

The second verb is:

Avoir - to have

The conjugation table goes:

j'ai

tu as

il/elle a

nous avons

vous avez

ils/elles ont

J'ai de la chance. I'm lucky. J'ai vingt ans. I'm twenty years-old. In french you don't use the verb etre, to be of an age like in English. You *have* x amount of years. The same goes for hunger and thirst. J'ai faim ou j'ai soif et pas je suis faim ou je suis soif.

Faire - to do/make

je fais

tu fais

il/elle fait

nous faisons

vous faites

ils/elles font

Fais attention aux voitures dans la rue ! Be careful of the cars on the street! Qu'est-ce que tu fais ? What are you doing? You will often hear French people struggle with this in English since they don't know which one to use at times, but luckily for you we only have to memorise one verb and not two!

Dire - to say

je dis

tu dis

il/elle dit

nous disons

vous dites

ils/elles disent

Dis-moi la vérité. - Tell me the truth. Comment est-ce que tu dis ___ en français ? How do you say ___ in french?

Pouvoir - to be able to

je peux

tu peux

il/elle peut

nous pouvons

vous pouvez

ils/elles peuvent

Pouvez-vous m'aider s'il vous plaît? Can you help me please!? Est-ce que tu peux fermer la fenêtre s'il te plaît ? Can you close the window please

Aller - to go

je vais

tu vas

il/elle va

nous allons

vous allez

ils/elles vont

Je vais bien. I'm well. In english we use the verb etre, to be and say I am well which would translate to 'je suis bien' but this is a big trap for English speakers. French say 'they go well' so 'je vais bien'. Another example: tu vas aller chez Erika demain? Are you going to go to Erika's house tomorrow?

Voir - to see

je vois

tu vois

il/elle voit

nous voyons

vous voyez

ils/elles voient

Que vois-tu ? What do you see? Est-ce que tu vois mon téléphone ? Do you see my mobile?

Savoir - to know

je sais

tu sais

il/elle sait

nous savons

vous savez

ils/elles savent

Je sais ce que je sais. I know what I know. Tu sais quoi ? You know what ?

Vouloir - to want

je veux

tu veux

il/elle veut

nous voulons

vous voulez

ils/elles veulent

Je veux être chef. I want to be a chef. With job titles you don't have an article in front of the job so you can always use this structure of je veux être ___.

A useful phrase when ordering in a cafe or restaurant is saying something like: Je voudrais un café au lait s'il vous plaît ! I would like a white coffee please !

Venir - to come

je viens

tu viens

il/elle vient

nous venons

vous venez

ils/elles viennent

Je viens d'aller chez mon ami. I just went to my friends house. In french you say that you come from doing.

This question you will hear a lot of if you're travelling France and that is D'où viens-tu ? Where do you come from?
Je viens des États-Unis. I come from the United States..

Devoir - to have to

je dois

tu dois

il/elle doit

nous devons

vous devez

ils/elles doivent

Je dois partir à minuit. I have to leave at midnight. Tu dois finir ta nourriture. You must finish your food.

Croire - to believe

je crois

tu crois

il/elle croit

nous croyons

vous croyez

ils/elles croient

A lot of English speakers say ‘je pense ...’ a lot because they say ‘I think...’ in English. In French however they say ‘je crois’ for ‘I think’ more than they say ‘je pense’. Je crois qu'elle est américaine. I think that she’s american. Est-ce que vous croyez en Dieu? Do you believe in God

Trouver - to find

je trouve

tu trouves

il/elle trouve

nous trouvons

vous trouvez

ils/elles trouvent

A good stem to learn is ‘je trouve que’ which you can use to say: ‘I think that’ or ‘I find that’. Another example: On va trouver ces clés !

We're going to find these keys ! (remember that in spoken French nous is almost never used and they use 'on' instead).

Donner - to give

je donne

tu donnes

il/elle donne

nous donnons

vous donnez

ils/elles donnent

Donnez-moi la télécommande maintenant ! Give me the remote control now! On a donné du pain et du lait aux SDF. We gave some milk and bread to the homeless. SDF stands for 'sans domicile fixe' aka homeless people.

Prendre - to take

je prends

tu prends

il/elle prend

nous prenons

vous prenez

ils/elles prennent

To order you can also say 'Je prends un café s'il vous plaît'. ...

Après le feu, tu prends à gauche. After the traffic light take a left. Keep in mind that feu also means fire and you might hear someone ask you 'est-ce que vous-avez du feu' which means they're asking you for fire, or a lighter.

Parler - to speak

je parle

tu parles

il/elle parle

nous parlons

vous parlez

ils/elles parlent

Parlez-vous francais is a phrase that many of you probably know from the song that went viral a few years ago which means 'do you speak french'. Another common phrase people learning french know is 'est-ce que vous parlez anglais' which I recommend not learning!

Don't be scared and resort to English or your own language, ask them instead 'pouvez-vous répéter plus lentement s'il vous plaît' which is asking for them to repeat it more slowly. People will start using hand gestures and speak more slowly so you understand them. If you don't believe me think of yourself when someone is having trouble understanding you, most likely you will speak slower and try to help them right?

Aimer - to like

J'aime

tu aimes

il/elle aime

nous aimons

vous aimez

ils/elles aiment

One of the most famous French phrases people know before they begin learning French is 'Je t'aime' which is 'I love you'. If you're ever in a sticky position and say it and the other person gives you a weird look or something you can add 'bien' at the end which changes the phrase to 'I like you very much'. This will save any embarrassment that might have occured.

Passer - to pass / to spend

je passe

tu passes

il/elle passe

nous passons

vous passez

ils/elles passent

Ricardo, tu me passes le poivre ? Ricardo, can you pass me the pepper? Passez une bonne journée ! Have a good day!

Mettre - to put

je mets

tu mets

il/elle met

nous mettons

vous mettez

ils/elles mettent

Il fait froid ! Tu dois mettre ton manteau. It's cold, you need to put on a coat. Levez les mains en l'air ! Put your hands up in the air. Hopefully you never hear this one !

Demander - to ask

je demande

tu demandes

il/elle demande

nous demandons

vous demandez

ils/elles demandent

Je ne demande pas la lune. I'm not asking for the moon or I'm not asking for a big thing. Le client a demandé de la bière. The client asked for some beer.

Tenir - to hold/keep

je tiens

tu tiens

il/elle tient

nous tenons

vous tenez

ils/elles tiennent

Je tiens le café. I am holding the coffee. With a friend or someone you know they might hand you something and simply say 'tiens'. It may sound rude at first but is totally normal.

Sembler - to feel

je semble

tu sembles

il/elle semble

nous semblons

vous semblez

ils/elles semblent

Il me semble que tu as raison. It seems to me that you're right. In French when saying that someone is right you will say that they have reason. Where English uses être and say 'you are' right the French use avoir and say ‘tu as’ or ‘vous avez’ raison. Also keep in mind that in spoken French most will run the ‘tu’ and the ‘as’ together and you’ll hear ‘t’as’. Donc, il me semble que t’as raison.

Laisser - to leave

je laisse

tu laisses

il/elle laisse

nous laissons

vous laissez

ils/elles laissent

Je laisse un os à mes chiens quand je vais au travail. I leave my dogs with a bone when I go to work. A common expression you’ll hear or read a lot is ‘laisser tomber’ which means to drop it or forget about it.

Rester - to stay/remain

je reste

tu restes

il/elle reste

nous restons

vous restez

ils/elles restent

Contrary to what English speakers think it doesn't translate to rest! Je vais rester à Berlin une semaine cet été. I'm going to stay in Berlin for a week this Summer. Tu restes à la maison ce week-end ? You're going to stay home this weekend?

Penser - to think

je pense

tu penses

il/elle pense

nous pensons

vous pensez

ils/elles pensent

Je pense ce que je dis et je dis ce que je pense. I mean what I say, and I say what I mean. Qu'as-tu pensé du film ? What did you think about the movie?

When asking questions you can invert the verb and pronoun to sound more French like in the last example. Another example would be 'vous parlez francais' to 'parlez-vous francais' such as the famous song.

Entendre - to hear

j'entends

tu entends

il/elle entend

nous entendons

vous entendez

ils/elles entendent

Est-ce que tu as entendu ce qu'il a dit? Did you hear what he said? Je n'ai pas entendu ce qu'il a dit. I didn't hear what he said.

Regarder - to watch

je regarde

tu regardes

il/elle regarde

nous regardons

vous regardez

ils/elles regardent

Hier soir j'ai regardé la télé avec ma soeur. Last night I watched T.V. with my sister. On regarde le menu. We're looking at the menu. Don't get this mixed up with voir like some students do. Tu ne vois pas un film, tu regardes le film. You don't look at a movie you watch a movie.

Repondre - to reply/answer

je réponds

tu réponds

il/elle répond

nous répondons

vous répondez

ils/elles répondent

Un instant, je dois répondre à ma mère. One moment, I need to reply to my mum. Attends s'il te plait, je dois répondre au téléphone. Wait please, I need to answer the phone.

In these two examples we see that 'je dois', 'I must' is the translation to 'I need to' in English. This is because French don't use the saying 'I need to' like the English do, so stay away from saying 'J'ai besoin de' and use 'je dois' ou 'il faut' instead.

Rendre - to give back

je rends

tu rends

il/elle rend

nous rendons

vous rendez

ils/elles rendent

J'ai déjà rendu votre portefeuille. I already gave back your wallet. Tu me rends trop d'argent. You're giving me back too much money.

Connaitre - to know

je connais

tu connais

il/elle connaît

nous connaissons

vous connaissez

ils/elles connaissent

Je connais cette personne, je l'ai déjà rencontrée. I know this person, I already met her before. Tu connais cette chanson ? Do you know this song?

Arriver - to arrive/happen

j'arrive

tu arrives

il/elle arrive

nous arrivons

vous arrivez

ils/elles arrivent

J'arrive ! I'm coming! This is something you'll hear at cafes or other stores when the waiter is busy. It might sound rude that they only say this short phrase but it's totally normal so don't be offended, À quelle heure vas-tu arriver ? What time are you going to come?

Sentir - to feel

je sens

tu sens

il/elle sent

nous sentons

vous sentez

ils/elles sentent

Tu n'as pas l'air très bien, tu te sens bien ? You don't look so good, do you feel well? Je me sens très bien, merci. I feel great, thanks!

Attendre - to wait

j'attends

tu attends

il/elle attend

nous attendons

vous attendez

ils/elles attendent

J'attends ma sœur après l'école tous les jours. I wait for my sister every day after school.

Did the sentence sound a little weird to you? That's because attendre is not followed by a preposition. Instead it's used with direct object pronouns (le, la, les, nous, vous, me, te). Another example: le chaton attend son diner. The kitten is waiting for her dinner.

Vivre - to live

je vis

tu vis

il/elle vit

nous vivons

vous vivez

ils/elles vivent

Je vis avec ma meilleure amie du lycée. I live with my best friend from High School. Il vit en france avec sa femme. He lives in France with his wife.

Chercher - to look for

je cherche

tu cherches

il/elle cherche

nous cherchons

vous cherchez

ils/elles cherchent

Je cherche quelqu'un qui peut m'aider. I'm looking for someone who can help me. Chercher is also used to say that you are picking someone up. When you go to pick someone up you go to look for them. Je vais aller chercher mon ami à la gare. I'm going to go pick up my friend from the station.

Sortir - to go out

je sors

tu sors

il/elle sort

nous sortons

vous sortez

ils/elles sortent

Pendant les mois froids de l'hiver ma mère porte son manteau vert quand elle sort. During the cold months of winter my mother wears her green coat when she goes out.

Like in English, sortir can mean to go out figuratively. Par example: Adam et Clara sortent ensemble. Adam and Clara are going out, or dating.

Comprendre - to understand

je comprends

tu comprends

il/elle comprend

nous comprenons

vous comprenez

ils/elles comprennent

Je ne comprends pas désolé, pouvez-vous le dire d'une autre manière. I don't understand sorry, can you say it in another way please. Je t'ai compris la première fois. I understood you the first time.

Porter - to wear/carry

je porte

tu portes

il/elle porte

nous portons

vous portez

ils/elles portent

Est-ce le nouveau manteau dont tu m'as parlé? Is that the new coat you told me about? Je peux porter un sac si tu veux. I can carry a bag if you like.

Devenir - to become

je deviens

tu deviens

il/elle devient

nous devenons

vous devenez

ils/elles deviennent

Je veux devenir astronaute quand je serai grande, dit la petite fille. I want to become an astronaut when I grow up said the little girl. Il est devenu fou après avoir pris des stéroïdes. He became crazy after taking steroids.

Entrer - to enter

j'entre

tu entres

il/elle entre

nous entrons

vous entrez

ils/elles entrent

Tous les étudiants ne pouvaient pas entrer dans la salle de classe. All the students couldn’t fit into the classroom. Va-tu entrer dans l'équipe de football ? Are you going to enter the soccer team?

Ecrire - to write

j’écris

tu écris

il/elle écrit

nous écrivons

vous écrivez

ils/elles écrivent

Écrivez votre nom de famille sous la ligne. Write your family name under the line. Mon père a écrit un roman l'année dernière. My father wrote a novel last year.

Appeler - to call

j'appelle

tu appelles

il/elle appelle

nous appelons

vous appelez

ils/elles appellent

Je vais acheter un chiot dimanche, comment dois-je l'appeler? I'm going to buy a puppy on Sunday, what should I call him.

A useful phrase at parties or when you forget someone's name is: 'comment tu t'appelles' which should be used in a relaxed settings and 'comment vous appelez-vous' in formal settings. Don't forget the liaison between the 's' and the 'a'.

Tomber - to fall

je tombe

tu tombes

il/elle tombe

nous tombons

vous tombez

ils/elles tombent

Je n'aime pas faire de l'équitation parce que j'ai peur de tomber. I don't like horse riding because I'm scared of falling off. Je suis tombée amoureuse de Paris et y suis restée pendant un an. I fell in love with

Paris and ended up staying there for a year.

Suivre - to follow

je suis

tu suis

il/elle suit

nous suivons

vous suivez

ils/elles suivent

Quel qu'un m'a suivi jusqu'à la maison, c'était vraiment effrayant ! Someone followed me all the way home, it was really scary ! Tu suis ce que je dis ou suis-je en train de parler trop vite? Do you follow what I say or am I speaking too quick?

Commencer - to begin

je commence

tu commences

il/elle commence

nous commençons

vous commencez

ils/elles commencent

Tu es en retard, j'ai déjà commencé à manger sans toi. You're late, I already began eating without you. Je ne peux pas commencer la journée sans un verre de jus d'orange. I can not begin the day without having a glass of orange juice.

Revenir - to come back

je reviens

tu reviens

il/elle revient

nous revenons

vous revenez

ils/elles reviennent

Je reviens tout de suite, j'ai oublié mes clés dans la voiture. I'll be right back, I forgot my keys in the car. Allez-vous revenir à la fête plus tard? Are you coming back to the party later?

Permettre - to allow

je permets

tu permets

il/elle permet

nous permettons

vous permettez

ils/elles permettent

C'est fou, comment a-t-il permis cela? That's crazy, how did he allow that? Si le temps le permet, nous irons à la plage! If the weather allows we will go to the beach!

Montrer - to show

je montre

tu montres

il/elle montre

nous montrons

vous montrez

ils/elles montrent

Pouvez-vous me montrer où la station est s'il vous plaît? Can you show me where the station is please ? Elle m'a montré où elle habitait. She showed me where she lived.

Recevoir - to receive

je reçois

tu reçois

il/elle reçoit

nous recevons

vous recevez

ils/elles reçoivent

J'ai enfin reçu mes achats en ligne aujourd'hui! I finally received my online shopping today! Vous recevrez votre salaire une fois par quinzaine. You'll receive your salary once a fortnight.

Réussir - to succeed

je réussis

tu réussis

il/elle réussit

nous réussissons

vous réussissez

ils/elles réussissent

Elle a réussi à obtenir sa promotion au travail. She succeeded in getting her promotion at work. Ma grand-mère est un conducteur horrible, je ne sais pas comment elle a réussi son examen de conduite. My grandmothers a horrible driver, I don't know how she succeeded in getting her drivers license.

LEARN FRENCH
WITH
SHORT STORIES
THE ADVENTURES OF CLARA
FRENCHACKING

Learn French With Short Stories - The Adventures of Clara

Chapitre 1

Clara est une **jeune** américaine originaire de New York, qui vient d'arriver en France, à Lyon plus précisément, où elle va passer un an. Elle s'installe chez Céline Crespo, qui est sa **correspondante** depuis plus d'un an. Clara est un peu **inquiète**, parce que c'est la première fois qu'elle est si **loin** de chez elle, et aussi un peu **préoccupée** par son **niveau** de français. Céline propose de lui présenter ses amis, qui sont très sympas et **accueillants**, et avec qui elle va **pouvoir** pratiquer son français.

Jeune : young

Un correspondant : a penpal

Inquiète : worried

Loin : far

Préoccuper : to worry

Un niveau : a level

Accueillant : welcoming

Pouvoir : to be able to

Par chance c'est le week-end, alors les amis de Céline sont assez **disponibles** pour se réunir. Ils décident de se retrouver chez Paul, une chaîne de **boulangeries** qui font de très bonnes pâtisseries. Le **rendez-vous** est à 14h, et il est seulement **midi**, elles ont donc un peu de temps à perdre. Clara pense que ce serait bien de faire un petit **tour** en ville et de prendre le métro, pour **voir** comment **ça**

fonctionne. On n'est pas encore en **hiver**, mais aujourd'hui il fait vraiment **froid** : elles enfilent des vêtements chauds, mettent leurs **manteaux**, et sortent.

Par chance : luckily

Disponible : available

Une boulangerie : a bakery

Un rendez-vous : a meeting

Midi : midday

Un tour : a walk

Voir : to see

Hiver : winter

Froid : cold

Un manteau : a coat

Ça fonctionne : how it works

Ma **maison** est environ à 20 minutes de la station Hôtel de Ville, où **on se retrouve**, explique Céline à Clara. On est à Garibaldi, et on doit changer de métro à Bellecour, qui est au centre de la ville.

Puisqu'on a le temps, pourquoi ne pas marcher à partir de Bellecour, comme ça je découvre un peu la ville.

Céline trouve que c'est une très bonne idée, et elles **se mettent en route**. "Le métro fonctionne très bien à Lyon : il est facile à utiliser, et c'est **quasiment** impossible de **se perdre** ! Par exemple, pour acheter un ticket tu dois simplement **trouver** une machine, il y en dans toutes les stations, sélectionner le ticket dont **tu as besoin** ce jour-là, et payer par carte ou **en liquide**. Voilà, le ticket s'imprime immédiatement et sera vérifié automatiquement en passant les portillons du métro.

Une maison : a house

Se retrouver : to meet up

Puisque : since

Se mettre en route : to set out

Quasiment : almost

Se perdre : to get lost

Trouver : to find

Avoir besoin : to need

En liquide : by cash

Elles **achètent** toutes les deux leurs tickets, et **s'assoient** en attendant l'arrivée du métro. Céline lui explique qu'à toute heure passent des tas de métro, alors on n'attend **jamais plus** de quelques minutes. C'est l'un des points positifs de ce moyen de transport !

Dans chaque wagon, il y a une affiche qui représente la ligne de métro, comme ça on sait **toujours** quel est le prochain arrêt. Tant qu'on fait attention à ça, on sait toujours où on est. **Après** quelques stations, elles arrivent à Bellecour, **où** beaucoup de gens descendent avec elles. C'est l'une des stations les plus importantes de la ville, parce que les gens y changent de ligne ou y descendent pour aller **travailler** dans la zone.

Acheter : to buy

S'asseoir : to sit down

Jamais : never

Plus : more

Toujours : always

Après : after

Où : where

Travailler : to work

Clara est impressionnée par ce qu'elle voit en sortant du métro. L'architecture magnifique des **bâtiments**, et les gens si bien **habillés** ! Elles continuent leur chemin vers Paul, et Clara s'étonne de toutes les **choses** qu'elle voit dans cette ville. Quand elles arrivent au lieu de rendez-vous, elles sont un peu en avance, alors elles décident d'en profiter pour prendre un petit **quelque chose** à **manger**.

Un bâtiment : a building

Habillé : dressed

Quelque chose : something

Manger : to eat

Bonjour, qu'est-ce que je vous sers ? **Demande** le **serveur**.

Un chocolat **chaud** et un croissant pour moi, dit Clara, pendant que Céline **commande** un cappuccino et un pain au chocolat.

Très bien, ça fait huit euros **soixante-dix**.

Cette fois c'est moi qui paye, comme c'est ton **premier jour** ! Dit Céline.

Oh, tu es trop gentille !

Demander : to ask

Un serveur : a waiter

Chaud : hot, warm

Commander : to order

Soixante-dix : seventy

Premier : first

Un jour : a day

Les filles prennent leurs **boissons** et leurs pâtisseries, et vont trouver une table où s'installer. Peu de temps après, les amis de Céline arrivent et les **rejoignent** à la table.

Bonjour **tout le monde** ! Céline les salue en leur faisant la bise, un rapide **bisou** sur chaque **joue**. Voilà mon amie de New York, Clara, elle va habiter avec moi pendant quelques **mois**. Pour le moment elle est **un peu timide**, mais elle aimerait bien pratiquer son français avec vous. Ça vous va qu'on fasse un cercle et qu'on se présente les uns après les autres ?

Une boisson : a drink

Rejoindre : to join

Joue : cheek

Tout le monde : everybody

Un mois : a month

Un bisou : a kiss

Un peu : a bit

Timide : shy

Salut, je m'appelle Léonie et j'ai 15 ans. Mes parents sont allemands **mais** vivent ici, de fait j'ai habité en France toute ma vie. C'est cool parce que chez moi je parle allemand, mais avec mes amis je parle français!

Bonjour, moi je m'appelle Adam, j'ai 15 ans aussi, je suis français. Ma famille **vient** du Sud de la France, d'une ville qui s'appelle Antibes qui se trouve juste **à côté de** Nice.

Bonjour, je m'appelle María. J'ai 16 ans, je suis espagnole. Je suis en France pour un an, moi aussi je suis là pour **améliorer** mon français !

Wow ! Clara est surprise par la **gentillesse** des amis de Céline, et par leurs différences. Après quelques minutes à **bavarder**, elle se sent déjà **à l'aise** et beaucoup plus sûre de son français. Elle n'est plus du tout inquiète.

Mais : but

Venir : to come from

A côté de : next to

Améliorer : to improve

Gentillesse : kindness

Bavarder : to chat

A l'aise : comfortable

Des Questions (Chapitre 1)

1) Où se retrouvent les amis de Céline ?

A) Chez MacDo

B) Chez Paul

C) Chez Starbucks

D) Chez Pomme de Pain

2) En quelle saison sommes-nous ?

A) L'été

B) Le printemps

C) L'automne

D) L'hiver

3) A quelle station descendent-elles ?

A) Bellecour

B) Hôtel de Ville

C) Garibaldi

D) Grange Blanche

4) Qu'est-ce que Clara commande ?

A) Un Latte

B) Un capuccino

C) Un chocolat chaud

D) Un café au lait

5) D’où vient Adam ?

A) De Nice

B) D’Allemagne

C) D’Espagne

D) D’Antibes

Les réponses (Chapitre 1)

1. B
2. C
3. A
4. C
5. D

Chapitre 2

Demain est un grand jour : c'est la **rentrée des classes**. Dans les premiers jours de septembre, tous les enfants français **retournent** à l'école. Clara est très impatiente de **découvrir** le lycée ! Céline lui a expliqué que l'école française a trois **étapes** : la maternelle et l'école primaire, pour les enfants qui ont entre trois ans et dix ans, ensuite le collège pour les enfants de onze à quatorze ans, et le lycée pour les adolescents de quinze à dix-huit ans. Céline et Clara vont entrer au lycée ensemble. Le petit frère de Céline, Matéo est encore au collège. Il a seulement treize ans.

Pour se préparer, toute la famille va au **supermarché** acheter les **fournitures scolaires**. Il y a beaucoup de monde ! La mère de Céline, Florence, a une liste de toutes les choses à acheter.

Florence : Bon, on va commencer par choisir un nouveau **sac-à-dos** pour Matéo, parce que celui de l'année **dernière** est cassé. Qu'est-ce que tu penses de ce sac-à-dos Spiderman ?

Matéo : Mais c'est pour les bébés ! Je veux un sac normal, comme **celui-là**. Il est complètement noir, et il est cool.

Florence : Comme tu veux... Maintenant, vous devez tous choisir un **agenda**. Attention, il doit être assez grand pour pouvoir écrire tous vos **devoirs**.

Céline : Je n'ai pas envie d'avoir des devoirs tous les soirs... Pourquoi est-ce que les vacances ne **durent** pas **toujours** ?

La rentrée des classes : the start of the school year

Retourner à : to come back to

Découvrir : to discover

Une étape : a step

Un supermarché : a supermarket

Les fournitures scolaires : school supplies

Un sac-à-dos : a backpack

Dernier : last

Celui-là : that one

Un agenda : a diary

Les devoirs : homework

Après les agendas, ils vont chercher des **cahiers**, des **stylos** et des **crayons**. Un **stylo-plume**, un stylo rouge, un stylo vert, un **surligneur**, et des **crayons à papier** pour faire les exercices. Ils achètent aussi des **crayons de couleur** et de la **peinture** pour le cours d'arts plastiques. Pour le cours de sport, ils ont besoin d'un **survêtement**, et de **baskets**. Tous les ans, en septembre, les supermarchés proposent toutes ces choses : pas besoin d'aller dans différents magasins. C'est plus pratique ! Il y a même des **blouses blanches** pour le cours de **chimie** des filles. Tout ce **matériel scolaire**, ça représente beaucoup d'**argent.**

Un cahier : a notebook

Un stylo : a pen

Un crayon (à papier) : a pencil

Un stylo-plume : a fountain pen

Un surligneur : an highlighter

Un crayon de couleur : a colored pencil

La peinture : paint

Un survêtement : a tracksuit

Des baskets : sneakers

Une blouse blanche : a lab coat

La chimie : chemistry

Le matériel scolaire : school supplies

L'argent : the money

Ce soir, les enfants vont tous **se coucher tôt**. Quand le **réveil sonne** à six heures quarante cinq, Clara **se réveille** difficilement ! Elle **s'habille**, **se coiffe**, et va prendre son **petit déjeuner**. Clara est déjà installée à table, avec un bol de chocolat chaud et des **tartines**. Clara se prépare un café au lait, et fait griller du pain pour se faire des tartines. Les français mangent leurs tartines avec du **beurre**, de la **confiture**, ou du Nutella. Mais Clara a apporté un pot de **beurre de cacahuètes** pour se sentir comme à la maison ! Matéo **a goûté** le beurre de cacahuètes pour la première fois grâce à elle, et maintenant il en mange tous les matins.

Se coucher : to go to bed

Tôt : early

Un réveil : an alarm clock

Sonner : to ring

Se réveiller : to wake up

S'habiller : to dress

Se coiffer : to make one's hair

Le petit déjeuner : the breakfast

Une tartine : a toast

Le beurre : the butter

La confiture : the jam

Le beurre de cacahuète : peanut butter

Goûter : to taste, to try some food

Sur le chemin, les filles **retrouvent** Maria, qui habite à côté. Quand elles arrivent au lycée, Clara est un peu impressionnée par tous ces gens qu'elle ne connaît pas. Heureusement, dans **la cour de récréation** elle reconnaît rapidement les amis de Céline. Sur un **mur**, on a publié les listes d'élèves classe par classe. A huit heures, la **sonnerie** indique qu'il faut aller vers sa **salle de classe**. Une deuxième sonnerie dix minutes plus tard indique l'heure maximum pour entrer : Céline explique que si un élève arrive plus tard, il sera **puni**.

Retrouver : to meet

La cour de récréation : the schoolyard

Un mur : a wall

La sonnerie : the bell

La salle de classe : the classroom

Puni : punished

Tous les élèves de la classe se présentent. La nationalité de Clara **attire** beaucoup **l'attention** ! Ils lui posent beaucoup de questions, ils veulent tout savoir sur sa vie aux Etats-Unis. Le professeur distribue les **emplois du temps**, Clara est contente de voir que le mardi ils commencent à dix heures : elle va pouvoir **se lever** un peu plus tard !

Le midi, tout le monde mange à la **cantine** : en France l'école organise et sert le **repas** des élèves. Les menus sont validés par le **conseil d'administration** et par un nutritionniste. En entrée, Clara choisit une salade **d'endives** parce qu'elle n'a jamais goûté avant. Comme plat principal, elle prend du **poisson** avec de la **purée** et des **haricots verts**. Et en dessert, on peut choisir un **produit laitier** et un fruit ou **gâteau**.

Clara : Pourquoi il y a des assiettes de fromage en dessert ?

Céline : En France, traditionnellement on mange le fromage **entre** le plat et le dessert. Aujourd'hui, il y a du camembert, et du gruyère, c'est très bon. Moi, je prends ça, et une part de gâteau aux **amandes**.

Attirer l'attention : to draw attention

Un emploi du temps : a schedule

Se lever : to wake up

La cantine : the canteen

Un repas : a meal

Le conseil d'administration : the school board

Une endive : a chicory

Un poisson : a fish

La purée : mashed potatoes

Un haricot vert : a green bean

Un produit laitier : a dairy product

Un gâteau : a cake

Entre : between

Une part : a slice

Amandes : almonds

Des Questions (Chapitre 2)

1) Comment s'appelle l'école pour un enfant de 17 ans ?

A. La maternelle
B. L'école primaire
C. Le collège
D. Le lycée

2) Comment s'appelle l'école pour un enfant de 13 ans ?

A. La maternelle
B. L'école primaire
C. Le collège
D. Le lycée

3) Que mange Clara pour le petit déjeuner ?

A. Un chocolat chaud et des tartines de beurre
B. Un café au lait et des tartines de confiture
C. Un café au lait et des tartines de beurre de cacahuètes
D. Un chocolat chaud et des tartines de beurre de cacahuètes

4) A quelle heure commencent vraiment les cours ?

A. Six heures quarante-cinq
B. Huit heures trente
C. Huit heures dix

D. Huit heures

5) Comment s'organise le repas du midi dans les écoles françaises ?

A. Les enfants apportent leur sandwich

B. Les enfants vont dans un restaurant à côté de l'école

C. Les enfants rentrent chez eux

D. Les enfants vont à la cantine de l'école

6) A quel moment du repas les français mangent-ils le fromage ?

A. En premier

B. Entre le plat et le dessert

C. En dernier

D. En même temps que le dessert

Les réponses (Chapitre 2)

1. D
2. C
3. C
4. B
5. D
6. B

Chapitre 3

Ça fait trois **semaines** que Clara est en France. Comme Céline l'emmène **partout** avec elle, elle parle **déjà** beaucoup mieux français ! Aujourd'hui, elles vont rendre visite à son **grand frère**, Marc. Céline propose d'y aller à pieds, parce que c'est seulement à vingt minutes, et que le trajet est **agréable**.

Céline : En sortant de chez moi, on prend la rue Garibaldi pendant cinq cent mètres, on tourne à **gauche**, et on continue **tout droit** en direction du pont Wilson. C'est facile. **On y va** ?

Une semaine : a week

Partout : everywhere

Déjà : already

Grand-frère : big brother

Agréable : nice

Tout droit : straight ahead

Gauche : left

On y va : let's go

Son frère habite rue Childebert, au troisième **étage** d'un vieux bâtiment du dix-septième **siècle**. Clara est impressionnée par l'architecture de la ville ! Depuis qu'elle est en France, elle voit tous les jours des immeubles très anciens. Elle prend tout le temps des photos, qu'elle **envoie** à sa famille et à ses amis. Le seul problème, c'est qu'il n'y a pas d'ascenseur, elles sont obligées de prendre les **escaliers** ! Quand elles arrivent, Marc et sa femme les **accueillent**.

Marc : Bonjour les filles, bienvenues ! Clara, c'est un plaisir de te rencontrer. Je te présente Isabelle, ma femme, et notre petite **fille** Lucie.

Clara : Bonjour ! Comme votre fille est jolie, félicitations ! J'aime beaucoup votre appartement

Isabelle : Oh oui, on l'adore. Malheureusement on va bientôt **déménager**. Avec la naissance du bébé, l'appartement est trop petit pour notre famille. Lucie a **seulement** six mois, mais c'est déjà compliqué de vivre ici.

Troisième étage : third floor

Un siècle : a century

Envoyer : to send

Des escaliers : stairs

Accueillir : to welcome

Une fille : a daughter / a girl

Déménager : to move in/out

Seulement : only

Ils **montrent** l'appartement aux deux amies. Le **salon** est grand, et très lumineux. Le balcon est décoré de beaucoup de plantes, avec deux **chaises** rouges. **A côté de** la porte de la cuisine, il y a un **couloir**, pour aller dans la **chambre** ou dans la **salle de bain**. La chambre et très petite : le **lit** occupe quasiment tout l'espace ! Sur les **murs**, Clara voit des photos de famille, et des copies de **tableaux**. Elle reconnaît un tableau de **Monet** qu'elle a vu, un jour, au **MOMA**. Isabelle, lui explique qu'elle l'a acheté dans la boutique du musée !

Isabelle : Je suis allée à New York pendant deux mois quand j'étais étudiante, pour améliorer mon anglais. J'habitais à Brooklyn, et j'étudiais dans un petit institut. Ce sont de super **souvenirs** !

Montrer : to show

Un salon : a living room

Une chaise : a chair

A côté de : next to

Un couloir : a hallway

Une chambre : a bedroom

Une salle de bain : a bathroom

Un lit : a bed

Un mur : a wall

Un tableau : a painting

Monet : name of a French painter

MOMA: museum of modern art (in new york)

Un souvenir : a memory.

Céline est très curieuse : elle pose plein de questions à Isabelle sur New York, parce qu'elle aussi a très envie d'aller y étudier l'anglais !

Pendant ce temps, Marc fait du café, et il apporte de petits **gâteaux** que Clara ne connaît pas. Ils s'installent à table. Isabelle lui explique que ces gâteaux s'appellent des cannelés, et qu'ils sont typiques de la région de Bordeaux, dans l'Ouest de la France.

Marc : Combien de **sucres** tu veux dans ton café, Clara ?

Clara : Deux, s'il te plait. Est-ce que je peux avoir du **lait** ?

Céline demande à son frère dans quel **quartier** ils **cherchent** leur nouvel appartement.

Marc : En périphérie de la ville... **Même si** on adore habiter ici, parce qu'on est dans le centre, c'est un peu trop **cher** pour nous. En plus, le travail d'Isabelle est très loin, elle passe beaucoup de temps dans les transports, et c'est **fatigant**.

Isabel : On va essayer d'acheter une petite maison avec un **jardin** : j'ai envie de voir ma fille jouer **dehors**. On veut aussi adopter un **chien** !

Un gâteau : a cake

Du sucre : sugar

Lait : milk

Un quartier : a neighborhood

Chercher : to look for

Cher : expansive

Même si : even if

Fatigant : tiring

Un jardin : a garden

Dehors : outside

Un chien : a dog

Pour le moment, ils ont visité trois maisons. La **première** est très **près du** centre, mais elle n'avait pas de jardin. La **deuxième** est **énorme** : elle a trois chambres, deux salles de bain, un salon, une

salle à manger, une grande cuisine moderne, une **piscine**. Mais elle est **au bord** d'une grande route, des voitures passent jour et nuit, c'est **insupportable**. Ce n'est vraiment pas une bonne option. La **troisième** est parfaite : elle a un joli jardin, deux grandes chambres, et ils se sont sentis chez eux immédiatement.

Près de : close to

Le premier : the first

Le deuxième : the second

Enorme : huge

Une salle à manger : a dining room

Une piscine : a pool

Au bord de : beside, next to

Insupportable : unbearable

Isabel : Le problème, c'est qu'elle est un peu trop chère. On va téléphoner au propriétaire pour négocier le prix. Je **suis tombée amoureuse** de cette maison !

Ils **bavardent** et boivent leur café, quand soudain le bébé **commence pleurer**. Les filles pensent qu'il est l'heure de **partir** pour les laisser seuls : il est déjà dix-huit heures. Elles **remercient** le couple, **surtout** pour les gâteaux, que Clara a beaucoup aimés ! Elles promettent de **revenir bientôt** les voir.

Tomber amoureux : to fall in love

Bavarder : to chat

Commencer : to start

Pleurer : to cry

Partir : to leave

Remercier : to thank

Surtout : especially

Revenir : to come back

Bientôt : soon

Des Questions (Chapitre 3)

1) Qui est Marc ?

A) Un ami d'Isabelle

B) Le frère de Clara

C) Le voisin de Céline

D) Le frère de Céline

2) Pourquoi va-t-il déménager ?

A) Il s'installe avec Isabelle

B) Il s'installe avec Lucie

C) Son appartement est trop petit

D) Il est obligé

3) Pourquoi Isabelle est allée à New York ?

A) Pour son travail

B) Pour améliorer son anglais

C) Pour les vacances

D) Pour voir sa famille

4) Combien de temps est-elle restée à New York ?

A) Un mois

B) Deux mois

C) Trois mois

D) Quatre mois

5) Quel animal de compagnie veulent-ils adopter ?

A) Un canari

B) Un chat

C) Un hamster

D) Un chien

Les réponses (Chapitre 3)

1. D
2. C
3. B
4. B
5. D

Chapitre 4

Aujourd'hui, Céline ne se sent pas très bien : elle a un peu de **fièvre**, et elle **tousse**. Elle raconte à Clara que, **la veille**, elle a oublié son **écharpe**, et qu'il y avait beaucoup de **vent**.

Clara : Je crois que tu es **malade**... Est-ce que tu veux aller chez le médecin ?

Céline : Ce n'est pas possible, aujourd'hui c'est **l'anniversaire** de ma cousine, Marie. Toute la famille y va. J'espère que tu n'as pas oublié : toi aussi tu es invitée !

Clara : Oh oui, bien sûr. Je suis contente de rencontrer ta famille, et de découvrir comment les français **fêtent** leur anniversaire.

Céline : Formidable. **Ne t'inquiète pas** pour moi, je vais prendre un médicament contre la fièvre, et voilà. On doit être à l'anniversaire à 15h. C'est très **loin**, alors on va y aller en **voiture** avec mes parents.

La fièvre : fever

Tousser : to cough

La veille : the day before

Une écharpe : scarf

Le vent : wind

Malade : sick

Un anniversaire : a birthday

Fêter : to celebrate

S'inquiéter : to worry

Loin : far

Une voiture : a car

Quelques heures plus tard, les filles se préparent pour l'anniversaire. Céline met un **pantalon** noir, un t-shirt bleu, et des chaussures **à talons**. Clara décide de mettre un jean et un joli **chemisier** blanc. Elle l'a acheté dans un magasin du centre-ville de Lyon, et elle l'aime beaucoup.

Dans la voiture, Clara écoute les **chansons** à la radio, et réalise qu'elle comprend les **paroles**. Elle se souvient très bien que quand elle est arrivée en France, elle ne comprenait absolument rien ! **Maintenant**, il y a des chansons qu'elle écoute très **souvent**, et qu'elle est capable de chanter en français. Elle est contente d'améliorer rapidement son français, et elle se sent pleine de **confiance** !

C'est Marie qui les accueille. Les filles lui **souhaitent** un **joyeux anniversaire**, et lui donne son **cadeau**. Il y a beaucoup de monde dans la maison.

Quelques : few

Un pantalon : pants

À talon : high-heeled

Un chemisier : women shirt

Une chanson : a song

Les paroles : the lyrics

Maintenant : now

Souvent : often

La confiance : confidence

Souhaiter : to wish

Joyeux anniversaire : happy birthday

Un cadeau : a gift

Céline : Tu vois ce couple, **à côté de** la porte ? C'est mon **oncle** et ma **tante**, les parents de Marie. Sur le **canapé**, ce garçon c'est mon cousin Charles, le **petit frère** de Marie. Mon **grand-père**, c'est ce vieux monsieur à côté de la fenêtre. Il est très gentil, il fait tout le temps des **blagues**, tu vas voir. Tu **te souviens** de ma **belle-sœur**, Isabelle ? Regarde, elle est dans la cuisine, elle bavarde avec ma grand-mère.

Clara : Je ne comprends pas : Isabelle est ta **sœur** ?

Céline : Mais non ! C'est ma belle-sœur : la **femme** de mon frère. En français, quand quelqu'un est en couple avec un membre de ta famille, tu ajoutes « beau » ou « belle ». Le **mari** de ta sœur, c'est ton beau-frère. Le père de ton mari, c'est ton beau-père. Tu comprends maintenant ?

Clara : Oui ! Merci de ton explication. J'ai encore beaucoup de choses à apprendre.

A côté de : next to

Oncle : uncle

Tante : aunt

Un canapé : a couch

Petit frère : younger brother

Grand-père : grand father

Se souvenir : to remember

Belle-sœur : sister in law

Sœur : sister

La femme : the wife

Mari : husband

Clara va à la cuisine leur chercher des boissons. Comme elle ne sait pas quoi **choisir**, elle demande **conseil** à Isabelle, qui lui commente qu'elle adore le kir. Elle explique à Clara que le kir est un **mélange** de vin blanc sec et de liqueur de fruit : c'est **sucré**. Mais Clara ne boit pas d'alcool ! Elle prend simplement deux **verres** de **jus de fruit**, et va rejoindre Céline dans le salon.

Céline : Merci pour le verre !

Clara : De rien ! ... C'est qui, le garçon à côté de la cheminée ?

Céline : C'est Julien, mon autre cousin. Il habite à Lyon mais je ne le vois pas **souvent**. Il n'arrête pas de te regarder ! On va lui parler ?

Choisir : to choose

Un conseil : an advice

Un mélange : a mix

Sucré : sweet

Un verre : a glass

Du jus de fruit : juice

Clara est un peu **timide**, mais Julien est très gentil et rapidement elle se sent **à l'aise**. Julien a seize ans, il est au lycée Ampère en «

section européenne anglais ». Il explique à Clara que toutes les semaines il a des heures de classe **supplémentaires** pour étudier la langue anglaise, et la culture anglophone. Par exemple, ses classes d'histoire et de géographie sont complètement en anglais ! Il est très content de connaître Clara, et il lui demande son numéro de téléphone pour l'inviter à boire un café.

La mère de Marie **éteint** les lumières, et apporte un énorme **gâteau**. Tout le monde chante « Joyeux anniversaire ». Quand Marie ouvre ses cadeaux, elle découvre que ses parents lui ont acheté un scooter, et elle **pleure** de joie !

Les filles ont passé une excellente après-midi, et Céline ne se sent plus du tout malade. Dans la voiture, elles écoutent la radio sans parler, et Clara se demande si Julien va l'appeler **bientôt**.

Timide : shy

A l'aise : comfortable

Supplémentaire : extra, additional

Eteindre : to turn off

Pleurer : to cry

Bientôt : soon

Des Questions (Chapitre 4)

1) Pourquoi est-ce que Céline est malade ?

A) Elle est très fatiguée

B) Elle a oublié d'aller chez le médecin

C) Elle a oublié son écharpe

D) Elle a trop mangé de gâteau

2) Qui fête son anniversaire ?

A) Marc

B) Isabelle

C) Clara

D) Marie

3) Le père de mon père s'appelle mon...

A) Beau-père

B) Grand-père

C) Frère

D) Petit père

4) La femme de mon frère s'appelle ma...

A) Petite sœur

B) Grande sœur

C) Belle-sœur

D) Jolie sœur

5) Où est-ce que Julien étudie l'anglais ?

A) En Angleterre

B) Sur internet

C) Dans un institut

D) Au lycée

Les réponses (Chapitre 4)

1. C
2. D
3. B
4. C
5. D

Chapitre 5

Avec le mois de décembre viennent les **préparatifs** de Noël. Clara est un peu nostalgique de passer les fêtes de fin d'année **loin de** sa famille et des ses amis. Mais elle est contente de découvrir comment les français vivent ce moment de l'année si particulier. Les magasins ont commencé à vendre des décorations de Noël, et dans les rues on a installé des **guirlandes lumineuses**. La nuit, le centre-ville est plein **d'étoiles** rouges, bleues, et jaunes. Il fait froid, mais moins qu'à New York ! A la maison, ils ont installé **tous ensemble** le **sapin de Noël**. Ce n'est pas un vrai sapin, il est en plastique ! Ils ont expliqué à Clara que comme ça, on **protège** les forêts, et on économise de l'argent. Elle n'est pas **convaincue** : les fêtes sans **l'odeur** du sapin... ça ne va pas !

Les préparatifs : the preparations

Loin de : far away from

Une guirlande lumineuse : fairy lights

Une étoile : a star

Tous ensemble : all together

Un sapin de Noël : a Christmas tree

Protéger : to protect

Convaincu : convinced

Une odeur : a scent

Depuis le début des **vacances** de Noël, les filles passent beaucoup de temps à la maison : elles discutent, elles regardent les **films** classiques qui passent tous les ans à la télévision. Il y a une série de films que Clara aime beaucoup : ça parle de la vie de Sissi l'Impératrice. Ils sont un peu **vieux**, mais l'actrice, Romy Schneider, est tellement belle !

Samedi, elle est allée pour la première fois visiter un **marché de Noël** français. Elle a mangé une gigantesque **gaufre** chocolat-chantilly, et elle a bu du vin chaud : un mélange traditionnel de vin rouge et d'épices. Sur le marché de Noël, il y avait beaucoup de stands **d'artisanat**, pour acheter des **cadeaux** originaux. Elle a acheté des **boucles d'oreilles** pour Céline. Mais elle ne sait pas quoi **offrir** à ses autres amis français... Elle demande à Céline si elle peut la conseiller.

Céline : Bien sûr ! Je te propose d'aller ensemble aux Galeries Lafayette, mercredi matin, ça te va ?

Depuis : since

Des vacances : holidays

Un film : a movie

Vieux : old

Un marché de Noël : a Christmas market

Une gaufre : a waffle

Artisanat : crafts

Un cadeau : a gift

Des boucles d'oreille : earrings

Offrir : to give

Clara : D'accord, mais les Galeries Lafayette c'est très **cher**, non ?

Céline : Ne t'inquiète pas ! J'y vais tous les ans : tu peux trouver beaucoup de petits cadeaux de très bonne qualité à des prix raisonnables. Il y a de jolis **porte-monnaie**, des écharpes, des **bijoux**, des **ceintures**, des **gants**… C'est un peu chic, les gens sont toujours très contents.

Clara : Alors c'est parfait !

Céline : Le seul inconvénient, c'est qu'il y a **beaucoup de monde** dans les **magasins**. Les gens stressent parce qu'ils n'ont pas **terminé** leurs cadeaux de Noël.

Les jours passent, et c'est déjà le 24 décembre. Toute la famille a décidé de commencer la journée par un super petit-déjeuner. Il y a du chocolat chaud **fait maison** (fait avec du vrai chocolat noir et de la **crème fraîche**), des croissants, des pains au chocolat, de la **brioche**… Matéo, le petit-frère de Céline, **n'arrête** pas de manger.

Cher : expensive

Un porte-monnaie : a purse

Un bijou : a piece of jewellery

Une ceinture : a belt

Un gant : a glove

Beaucoup de monde : lots of people

Un magasin : a store

Terminer : to finish

Fait maison : homemade

La crème fraîche : heavy cream

Une brioche : sweet baked soft bread

Arrêter : to stop

Florence : Mais enfin Matéo, arrête. Tu ne vas pas pouvoir manger ce soir ! Ton père et moi, on a prévu un formidable dîner.

Patrick : Oui, et on a besoin de votre **aide** pour que tout soit **prêt** ce soir.

Pendant que les parents cuisinent, les enfants préparent tout pour le dîner. Ils **rangent** la maison, ils **passent l'aspirateur**, ils **mettent la table** avec les **assiettes** de **porcelaine** et les **couverts** en **argent**, ils posent des flûtes à champagne sur la **table basse**. Quand les grands-parents arrivent, tout le monde s'assoit dans le salon et prend l'apéritif. Ils mangent plein de petits canapés et de **bouchées chaudes**. Le père de Céline sert du champagne, et ils **trinquent**. Joyeux Noël ! C'est le moment de se donner les cadeaux ! Clara trouve un **paquet** avec son nom, elle l'ouvre et découvre un sweater blanc d'une marque française qu'elle aime beaucoup, avec écrit « LOVE IS FRENCH ». Elle **remercie** tout le monde !

L'aide : help

Prêt : ready

Pendant que : while

Ranger : to tidy

Passer l'aspirateur : to vacuum

Mettre la table : to set the table

Une assiette : a plate

Les couverts en argent : the silver cutlery

Une table basse : a coffee table

Une bouchée chaude : a warm canapé

Trinquer : to make a toast

Un paquet : a packet

Remercier : to thank

Au dîner, ils mangent des choses qu'elle ne connaissait pas, comme les **huîtres**, les **escargots** au **persil** et le **foie gras**. Elle comprend pourquoi les français sont **fous de** leur foie gras, c'est délicieux. Mais les escargots, vraiment, c'est **bizarre** ! Le plat principal ne la surprend pas : c'est une **dinde**, comme celle que sa mère prépare pour Thanksgiving. Et en dessert, ils mangent la traditionnelle **bûche** de Noël : un **gâteau glacé** en forme de **morceau de bois**. Le grand-père de Céline lui explique que c'est en souvenir d'une ancienne tradition : **bénir** une bûche et la **brûler** très **doucement**, puis **conserver** les **cendres** pour la prospérité de l'année qui va **bientôt** commencer.

Une huître : an oyster

Un escargot : a snail

Persil : parsley

Le foie gras : duck's liver pâté

Être fou de : to be crazy about

Une dinde : a turkey

Une bûche : a log

Un gâteau glacé : a frozen cake

Un morceau de bois : a piece of wood

Bénir : to bless

Brûler : to burn

Doucement : slowly

Conserver : to keep

Les cendres : the ashes

Bientôt : soon

Des Questions (Chapitre 5)

1) Qu'est-ce que Clara boit au petit-déjeuner ?

A. Du vin chaud
B. Du champagne
C. Du café
D. Du chocolat au lait

2) Quel cadeau reçoit Céline ?

A. Une écharpe
B. Un porte-monnaie
C. Une ceinture
D. Des boucles d'oreille

3) Quel est le problème avec les Galeries Lafayette ?

A. C'est trop loin
B. C'est trop cher
C. Il y a trop de gens
D. Il y a trop de choix

4) Qui vient dîner chez Céline pour Noël ?

A. Son frère
B. Sa grand-mère
C. Ses cousins

D. Ses grands-parents

5) Quel dessert est traditionnellement servi à Noël ?

A. Des croissants

B. De la bûche

C. Des pains au chocolat

D. De la brioche

Les réponses (Chapitre 5)

1. D
2. D
3. C
4. D
5. B

Chapitre 6

Les filles sont parties en week-end à la **campagne** ! Les parents de Léonie ont une maison de campagne à quinze kilomètres de Lyon, et ils ont invité tous les amis de leur fille. Il y a même une piscine, mais il fait trop froid pour en **profiter**. Adam et Maria sont venus aussi : les cinq amis sont **heureux** de pouvoir passer du temps **ensemble**. Les parents leur demandent d'être responsables, et de s'occuper de la maison. Ils ont fait un planning des **tâches ménagères**. Céline va **faire la vaisselle**, Clara et Léonie vont **faire le ménage**, Adam et Maria vont cuisiner.

La campagne : the countryside

Profiter : to enjoy

Heureux : happy

Ensemble : together

Les tâches ménagères : the housework

Faire la vaisselle : to wash the dishes

Faire le ménage : to do the cleaning

A propos de cuisiner, ils sont **sur le point d'**aller au marché pour **faire les courses**. Pour que ce soit plus simple, ils ont défini ce qu'ils vont manger à chaque **repas**. Pour le **petit déjeuner** : du chocolat au lait, du pain, du beurre et de la confiture. C'est un petit déjeuner typiquement français ! Samedi, au **déjeuner** ils vont manger un hachis Parmentier, et au **dîner** de la soupe aux oignons. Le dimanche, ils doivent retourner à Lyon, alors ils vont déjeuner rapidement, une simple **salade composée**.

Sur le point de : about to

Faire les courses : to do the grocery shopping

Un repas : a meal

Le petit-déjeuner : breakfast

Le déjeuner : lunch

Le dîner : dinner

Une salade composée : a mixed salad

Clara : On va au supermarché pour acheter tous les ingrédients ?

Léonie : Aujourd'hui c'est le jour du **marché** : pas question d'aller dans un supermarché ! On va acheter les produits locaux, que vendent les agriculteurs de la région.

Clara : Le marché ? Qu'est-ce que c'est ?

Céline : Toutes les semaines, sur la place centrale du village, des **vendeurs** installent de grandes tables pour vendre leurs produits. Par exemple, les agriculteurs viennent vendre des **légumes**, des **fruits**... Il y a des bouchers, des boulangers, des **artisans**... On trouve tout sur un marché ! Tu vas voir...

Clara est très enthousiaste ! Elle adore découvrir ces petites choses du quotidien des français. Quand elle était aux Etats-Unis, elle s'imaginait que toute la France **ressemblait à** Paris. Mais maintenant, elle réalise que la France qu'elle n'a aucune idée de comment on vit dans la campagne. Ils vont à pied au marché, et elle admire les jolies petites maisons du village.

Quand ils arrivent au marché, Clara est impressionnée ! Il y a beaucoup de monde, et beaucoup de **stands**. Pour commencer, ils vont à la **boucherie** pour le hachis Parmentier. C'est un plat de **viande** de **bœuf** hachée et de purée de **pomme de terre**, qu'on fait **cuire** au four.

Un marché : a marketplace

Stands : food stands

Un vendeur : a vendor, a seller

Un légume : a vegetable

Un fruit : a fruit

Un artisan : a craftsperson

Ressembler à : to look like

Une boucherie : a butcher's

La viande : meat

Le bœuf : beef

Une pomme de terre : a potato

Cuire : to cook

Un four : a oven

La bouchère : Bonjour Mademoiselle ! Qu'est-ce que vous prendrez ?

Léonie : Un kilo de steak **haché**, s'il vous plaît.

La bouchère : Il y a un kilo et trois cent grammes, ça vous va ?

Léonie : Oui, pas de problème. Ça fait combien ?

La bouchère : Sept euros soixante, s'il vous plaît.

Maintenant, ils vont acheter les légumes dont ils ont besoin, chez le **primeur**.

Céline : Bonjour Monsieur.

Le vendeur : Bonjour ! Qu'est-ce que je vous sers ?

Céline : Deux kilos de pommes de terre, un kilo d'oignons, **quelques** carottes…

Adam : N'oublie pas l'ail.

Céline : Tu as raison. **Une gousse d'ail**, s'il vous plaît. Et pour faire une salade composée, qu'est-ce que vous nous recommandez ?

Le vendeur : En cette saison, je vous conseille une salade de **potiron**, de **laitue** et de fromage.

Adam : Excellente idée ! Alors on vous prend un potiron de **taille moyenne**, une salade. Je voudrais aussi **un petit peu** d'échalote. Et pour le dessert, on achète des fruits ?

Léonie : Oui. On va prendre un **demi**-kilo de kiwis, cinq pommes et cinq poires, deux kilos d'oranges pour faire du jus le matin, et un kilo de clémentines. Quand il fait froid c'est important de prendre de la vitamine C !

Clara : Tu as raison. Est-ce qu'on peut prendre une grappe de **raisin** blanc ? J'adore ça.

Le vendeur : Très bien, ça fait un total de vingt-deux euros quarante.

Steak haché : ground beef

Le primeur : the greengrocer's

Quelques : few

Une gousse d'ail : a head of garlic

Un potiron : a pumpkin

laitue : lettuce

De taille moyenne : medium-sized

Un petit peu de : a bit of

Un demi-kilo : half a kilo

Une grappe de raisin : a bunch of grape

Après les légumes, le fromage. Ils vont tous chez le fromager, et Clara a envie de tout **goûter** ! Ils choisissent d'acheter un gros **morceau de** gorgonzola pour la salade de potiron, une grosse **tranche** de gruyère suisse, cent grammes de roquefort, un camembert, et une portion de brie de Meaux. Avant de manger le dessert, les français ont l'habitude de manger du fromage, avec du pain : il y a beaucoup de gens qui **font la queue** pour en acheter.

Sur le marché, Clara réalise qu'on peut acheter une infinité de choses : du **miel**, de la confiture artisanale, des fleurs, des fruits... Elle trouve ça merveilleux !

Goûter : to taste, to try some food

Un morceau : a piece

Une tranche : a slice

Faire la queue : to stand in line

Des Questions (Chapitre 6)

1) Où vont-ils passer le week-end ?

A) Dans le Sud de la France

B) Chez Adam

C) A la campagne

D) Dans une ville

2) Qui s'occupe de la maison ?

A) Les enfants

B) Les parents

C) La femme de ménage

D) Céline et Clara

3) Ils vont faire les courses...

A) Séparément

B) Au supermarché

C) En voiture

D) Au marché

4) Qu'est-ce qu'ils n'achètent pas ?

A) De la viande

B) Des oignons

C) Des fleurs

D) Du fromage

5) Qui va faire la cuisine ?

A) Tout le monde

B) Le traiteur

C) Les parents

D) Adam et Maria

Les réponses (Chapitre 6)

1. C
2. A
3. D
4. C
5. D

Chapitre 7

Demain est un jour un peu particulier pour Clara. Julien, le cousin de Céline, l'a invitée à **déjeuner** au restaurant pour **faire connaissance**. **La veille**, elle se demande si elle se sentira mal à l'aise pendant leur rendez-vous. Heureusement, Julien parle bien anglais : si elle ne trouve pas ses mots en français elle pourra passer à sa langue maternelle !

Ils se sont donnés rendez-vous à **midi vingt** à la station de métro Cordeliers. Clara a l'habitude de se déplacer seule dans Lyon, maintenant. Comme elle est un peu en retard, elle envoie un message à Julien pour le **prévenir**. Quand elle arrive, il la guide jusqu'à la rue Mercière.

Il lui explique que cette rue est très **connue**, parce qu'elle est **pleine de** restaurants, et que son architecture est typique de la ville. Clara est impressionnée ! Tous les restaurants attirent son attention par leur décoration, tous les plats sur les tables ont l'air délicieux ! Comme c'est une **rue piétonne**, il y a beaucoup de gens qui se promènent, et les restaurants ont installés leurs tables dehors. Justement, Julien lui propose de s'assoir **en terrasse**.

Déjeuner : to lunch

Faire connaissance : to get to know someone

La veille : the day before

Midi vingt : twenty past midday

Prévenir : to let someone know

Connu : famous

Plein de : full of

Une rue piétonne : pedestrian street

En terrasse : in the outside seating area

Clara : Tu ne crois pas qu'on va avoir **froid** si on reste **dehors** ?
Julien : Ne t'inquiète pas : regarde, quasiment tous les restaurants mettent à disposition une petite **couverture** pour les clients qui s'installent en terrasse ! C'est très pratique : tu la mets sur tes jambes, et comme ça tu n'as pas froid !
Clara : Je trouve que c'est une très bonne idée ! Asseyons-nous en terrasse. Dans quel restaurant tu veux manger ? Il y en a tellement, je ne sais pas comment choisir...

Il lui propose de déjeuner dans un « bouchon ». Ce sont de petits **bistrots** typiques de Lyon, qui servent les plats traditionnels de la ville et de la région. C'est absolument parfait ! lui répond Clara.

Ils trouvent rapidement une table libre, s'assoient, et le serveur vient leur **apporter** la carte. Immédiatement, Julien l'informe qu'il est allergique aux œufs, et demande à consulter la liste des allergènes dans les plats. **Pendant que** le serveur va la chercher, Clara demande à Julien de quoi il s'agit. Il lui explique qu'en France, les restaurants sont obligés de présenter à leurs clients une liste de tous leurs plats avec la mention des produits allergènes les plus courants, comme le gluten, les œufs, le lactose, et cetera. Comme ça, une personne allergique peut sortir sans **avoir peur** d'être malade !

Froid : cold

Dehors : outside

Une couverture : a blanket

Un bistrot : typical french restaurant

Apporter : to bring

Pendant que : while

Avoir peur : to be afraid

Julien : Je te conseille de choisir le menu lyonnais. Tu vois, il y a trois options d'entrées, trois **plats principaux**, et trois desserts.
Clara : Je suis un peu perdue, je ne reconnais aucun plat… Est-ce que tu peux m'aider à choisir s'il te plaît ? En général j'aime tout, sauf le **poisson**.
Julien : Avec plaisir ! En entrée, tu dois absolument **goûter** la **cervelle** de canuts.
Clara : La quoi ? Non, moi je ne mange pas ce genre de choses ! Pas de poisson, et pas de cerveau !
Julien : Ne t'inquiète pas ! Ce n'est pas vraiment de la cervelle. C'est une sorte de **fromage frais** aux **échalotes** qui se mange avec du pain grillé. Moi, je vais commander une assiette de rosette, le **saucisson** local. Je te ferai goûter. Bon, pour le plat principal, je te propose de goûter les quenelles. C'est vraiment très typique de la cuisine lyonnaise ! Et en dessert, une portion de **tarte** aux pralines.
Clara : Merci ! Tu es gentil.

Un plat principal : main course

Un poisson : a fish

Goûter : to taste, to try food

Le cerveau / La cervelle : brain

Un fromage frais : cream cheese

Une échalote : a shallot

Un saucisson : a dry sausage

Une tarte : a pie

Quand le serveur revient, Julien passe leur **commande**, et demande aussi une petite bouteille de soda, et une carafe d'eau. En France, dans les restaurants, on peut boire gratuitement **l'eau du robinet**. Clara aime tout ce qu'elle mange. La consistance de la quenelle la surprend un peu, mais elle **s'habitue**, et elle est heureuse de découvrir de nouvelles choses. Julien lui raconte sa vie. Il lui explique qu'il étudie l'anglais avec passion, qu'il veut absolument aller vivre à New York depuis qu'il est enfant. Il est fasciné par « la ville qui ne dort jamais ». Il **pose beaucoup de questions** à Clara.

Le serveur revient : Voilà votre addition. Ca fait trente-quatre euros soixante. Souhaitez-vous payer par carte, ou **en liquide** ?
Julien : En liquide, s'il vous plaît.

Clara n'a pas vu le temps passer : elle a passé un très bon moment. Ils **promettent** de se revoir bientôt, et elle **rentre** chez Céline.

La commande : the order

L'eau du robinet : tap water

S'habituer : to get used

Poser des questions : to ask

L'addition : the bill

Par carte : by credit card

En liquide : by cash

Promettre : to promise

Rentrer : to come back home

Des Questions (Chapitre 7)

1) Où se retrouvent Julien et Clara ?

A) Au restaurant

B) Rue Crémière

C) Station Cordeliers

D) Chez Céline

2) Quel type de cuisine décident-ils de manger ?

A) Cuisine grecque

B) Cuisine régionale

C) Cuisine créole

D) Cuisine végétarienne

3) De quoi est faite la cervelle de canut ?

A) De viande

B) De poisson

C) De canut

D) De fromage frais

4) Où Julien voudrait-il vivre ?

A) A New York

B) A Paris

C) Aux Etats-Unis

D) A Lyon

5) À quoi Julien est-il allergique ?

A) Au poisson

B) Aux quenelles

C) Aux oeufs

D) Au saucisson

Les réponses (Chapitre 7)

1. C
2. B
3. D
4. A
5. C

Chapitre 8

Aujourd'hui, on est le vingt-et-un mars : c'est le début du **printemps** ! Clara n'arrive pas à croire que le temps passe si vite : elle est en France depuis plusieurs mois déjà. Maintenant que l'hiver est terminé, il commence fait chaud, et elle réalise qu'elle n'a pas de **vêtements** adaptés. Elle en parle à Céline, pour lui demander conseil : elle ne sait pas dans quel **magasin** aller.

Céline : Et bien, tu peux aller au **centre commercial** La Part Dieu. C'est l'un des plus grands centre commerciaux d'Europe. Avec cinq étages de magasins, tu vas trouver quelque chose qui te plaît, c'est sûr. Si tu veux, je t'explique comment y aller, c'est facile. Mais **à mon avis**, c'est beaucoup plus sympa d'aller faire les magasins rue de la République. Tu sais, c'est cette **rue commerçante** dans le centre-ville, avec plein de magasins. Là-bas tu peux **trouver** tout ce que tu cherches, de styles différents. En plus, la rue est piétonne. C'est beaucoup plus **agréable** de passer l'après-midi dehors que de **rester** dans un centre commercial, tu ne crois pas ?

Le printemps : spring

Des vêtements : clothes

Un magasin : a store

Un centre commercial : a shopping mall

Un avis : an opinion

Une rue commerçante : a shopping street

Trouver : to find

Agréable : enjoyable, pleasant

Rester : to stay

La mère de Céline, Florence, entend la conversation des filles. Elle leur propose d'aller **faire les boutiques** en famille ce samedi. En effet le petit frère de Céline, Mathéo, a beaucoup **grandit** cette année, et il a absolument besoin de nouveaux vêtements. Elle en profitera pour acheter un nouveau **maillot de bain** à Céline, parce que l'ancien est très abîmé. Tout le monde trouve que c'est une bonne idée, et les filles attendent le samedi avec impatience.

Par chance, il fait très beau ce samedi après-midi : il y a du soleil, le ciel est parfaitement bleu. Ils partent après le **déjeuner**, et quand ils arrivent il y a déjà beaucoup de monde dans les rues. La rue de la République est pleine de gens qui se **promènent** et **font du lèche-vitrines**. Matéo **se plaint** de ses vêtements **trop petits** : « Tous mes t-shirts sont trop **courts** ! Et je ne peux plus **mettre** mon jean préféré : il est petit pour moi ! Même ma **veste** est devenue trop petite... »

Faire les boutiques : to go shopping

Grandir : to grow

Un maillot de bain : swim suit

Le déjeuner : the lunch

Se promener : to go for a walk

Faire du lèche-vitrines : to do some window shopping

Se plaindre de : to complain about

Trop petit : too small

Court : short

Mettre : to put on

Une veste : a jacket

Ils commencent par entrer dans un magasin de vêtement pour jeunes garçons, pour Matéo. Sa mère lui **propose** une marinière : le fameux t-shirt **rayé** blanc et bleu des français.

Matéo : Mais maman, ce n'est pas mon style... Je vais être ridicule si je mets ça, et tous mes amis vont **se moquer** de moi !

Florence : Tu exagères... Je suis sûre que tu serais très **mignon habillé** comme ça. Mais fais ta **propre** sélection si tu préfères.

Il choisit un t-shirt **bleu clair**, un jean **gris foncé**, et une veste en **cuir** rouge. Mais elle est trop **chère** : elle **coûte** deux cent euros ! Sa mère refuse de l'acheter. A la place, ils choisissent une veste en jean. Le vendeur les **accompagne** à la **caisse**, Florence paye leurs **achats**, et ils sortent du magasin.

Céline : Regarde Clara, j'adore ce magasin : ce n'est pas une grande marque que tu trouves **partout** en France, c'est un petit magasin local. Maman, on peut y aller ?

Florence : D'accord, mais c'est un peu plus cher... Je te préviens, j'ai le même budget pour toi que pour ton frère. Ici tu ne vas pas pouvoir acheter beaucoup de choses.

Céline : **Ce n'est pas grave**. Venez, on entre !

Proposer : to offer

Rayé : striped

Se moquer de : make fun of

Mignon : cute

Habillé : dressed

Ppropre : own

Bleu clair : light blue

Gris foncé : dark grey

Le cuir : the leather

Cher : expansive

Coûter : to cost

Accompagner : to guide, to go with

La caisse : the checkout

Un achat : a purchase

Partout : everywhere

Ce n'est pas grave : it doesn't matter

Immédiatement, Clara voit une très jolie **robe**, qui lui plaît énormément. Elle est **vert foncé**, avec des **broderies** couleur **argent** sur les **manches**. Malheureusement, le **prix** sur **l'étiquette** est vraiment trop cher pour elle. **Par contre**, elle voit un chemisier qui ressemble à cette robe, et qui est moins cher. Elle va l'essayer dans les **cabines d'essayages**.

Une robe : a dress

Vert foncé : dark green

Des broderies : embroidery

Argent : silver

Une manche : a sleeve

Un prix : a price

Une étiquette : a label showing price

Par contre : however

Une cabine d'essayage : a fitting room

Céline : **ça te va très bien** ! C'est une couleur originale, et la **coupe** est très belle. Prends-la ! Moi j'ai essayé ce **pantalon** rayé, mais ça ne me va pas, et pour l'été, je préfère cette **jupe** à **imprimé** fleurs. Qu'est-ce que tu en penses, maman ?

Florence : Tu ne crois pas qu'elle est trop courte..? Ce n'est pas adapté à ton âge. Voilà une jupe plus longue, tu ne veux pas l'essayer ?

Céline : Mais c'est la mode ! Tout le monde porte des jupes courtes. Je la prends. Vous avez vu que les accessoires sont en **soldes** ? Je vais prendre ce **collier**, et cette **bague** : à ce prix c'est vraiment une **bonne affaire** !

Ca te va bien : it fits you well

La coupe : the cut

Un pantalon : pants

Une jupe : a skirt

Les soldes : the sales

Un collier : a necklace

Une bague : a ring

Une bonne affaire : a good deal

Des Questions (Chapitre 8)

1) Quel jour marque le début du printemps en France ?

A. Le vingt-et-un avril
B. Le vingt-et un mars
C. Le vingt-et-un septembre
D. Le vingt-et-un décembre

2) Pourquoi Mathéo a besoin de faire les boutiques ?

A. Ses vêtements sont sales
B. Il a perdu tous ses vêtements
C. Il est plus grand qu'avant
D. Il fait trop chaud

3) Qui propose d'aller faire les boutiques dans une rue piétonne ?

A. Clara
B. Florence
C. Matéo
D. Céline

4) Qui propose d'aller faire les boutiques tous ensemble ?

A. Clara
B. Florence
C. Mathéo

D. Céline

5) Pourquoi Mathéo n'achète pas la veste en cuir ?

A. Elle est trop petite

B. Il pense que ses amis vont se moquer

C. Il préfère une veste en jean

D. Elle est trop chère

Les réponses (Chapitre 8)

1. B
2. C
3. D
4. B
5. D

Chapitre 9

Aujourd'hui l'école est finie ! C'est la dernière journée de lycée pour Céline et Clara. Dans tous les cours, les professeurs proposent des activités pour **s'amuser**. En français, ils font du théâtre, en anglais ils regardent un film, en mathématiques ils ont apporté des gâteaux pour faire un grand **goûter**. En sport, ils font un **tournoi** de **balle au prisonnier**. A midi, **au lieu d**'aller à la cantine les filles vont avec tous leurs amis manger un kebab, dans un restaurant de sandwichs à emporter, à quelques minutes du lycée. C'est le point de rendez-vous des adolescents du quartier. Quand les filles arrivent chez Céline le soir, elles sont d'excellente **humeur** : la journée a été formidable, et en plus, elles vont **partir en vacances** ! Toute la famille va passer deux semaines à la **mer**. Ils vont dans une petite ville à côté de Cannes qui s'appelle Théoule sur Mer.

Florence : N'oubliez pas de faire votre **valise** avant le dîner : on prend le train très **tôt** demain, vous devez vous coucher tôt.

Céline : Oui maman. Mais ne t'inquiète pas on a quasiment terminé nos valises. Je dois seulement ajouter mon shampoing, ma **brosse à dent**, des petites choses **de ce genre.**

S'amuser : to have fun

Un goûter : a snack

Un tournoi : a championship

La balle au prisonnier : dodgeball

Au lieu de : instead of

L'humeur : the mood

Partir en vacances : to go on holidays

La mer : the sea

De ce genre : things of this kind

A six heures **le lendemain**, les parents de Céline viennent les **réveiller**. Le train part à sept heures et demie, elles doivent se préparer et manger rapidement. C'est la première fois que Clara prend le train en France. La **gare** de Lyon est un grand bâtiment, ils cherchent leur numéro de **quai** sur les **panneaux d'affichage**. Ils **compostent** leurs billets avant de monter dans leur wagon. Une voix dans le **haut-parleur** annonce que le train partira avec vingt minutes de **retard**. J'aurais pu dormir un peu plus ! pense Clara.

Après quatre heures de train, ils arrivent à la gare de Cannes. Ils vont **récupérer** la voiture qu'ils ont **louée** pour ces deux semaines, et ils partent en direction de Théoule sur Mer. Tous les ans la famille de Céline louent la même maison au bord de la **plage**. Ils connaissent très bien la ville, et ils ont beaucoup d'amis **là-bas**.

Le lendemain : the day after

Se réveiller : to wake up

La gare : the train station

Le quai : the platform

Un panneau d'affichage : a noticeboard

Composter : to check

Un haut-parleur : a speaker

Retard : late

Récupérer : to pick up

Louer : to rent

Une plage : a beach

Là-bas : over there

Céline : Tu vas voir, cet après-midi on va aller à la plage toi et moi, et je vais te présenter tout le monde.

Clara : J'espère qu'il va **faire beau** !

Florence : Oh oui, ne t'inquiète pas : j'ai regardé la météo, et normalement il y a du **soleil** tous les jours. Il va faire très **chaud** !

Céline : Super, je vais pouvoir **bronzer** ! Clara, je te propose d'aller directement à la plage quand on arrive. On met notre **maillot de bain**, et voilà. Maman, tu es d'accord ?

Florence : D'accord. Mais tu prends ton **portable** : je veux pouvoir **t'appeler** en cas **d'urgence**.

C'est vrai qu'il fait très chaud : quand les filles arrivent à la plage, elles installent leurs **serviettes** sous le **parasol** pour ne pas être trop exposées au soleil. Clara met de la **crème solaire** dans le **dos** de Céline, qui est très blanche, et qui a peur **d'attraper un coup de soleil**. Elles ont deux semaines pour bronzer, il n'y a pas de raisons de **se brûler** ! Clara va **nager** un peu : la mer est un peu froide, mais **peu importe**. Elle **flotte** sur le dos, elle regarde le **ciel**, et elle se sent parfaitement heureuse.

Bronzer : to tan

Il fait beau : the weather is good

Il y a du soleil : it's sunny

Il fait chaud : it's hot

Un maillot de bain : a bath suit

Un portable : a cell phone

Appeler : to call

Une urgence : an emergency

Une serviette : a towel

Un parasol : a sunshade

La crème solaire : the sunscreen

Le dos : the back

Attraper un coup de soleil : to get a sunburnt

Brûler : to burn

Nager : to swim

Peu importe : it doesn't matter

Flotter : to float

Le ciel : the sky

Quand elle sort de **l'eau**, Céline lui montre un petit groupe d'adolescents :

Céline : Tu vois ce garçon blond là-bas ? Celui avec des **lunettes de soleil** rouges et un short vert ? C'est un touriste anglais qui **revient** tous les ans. Il s'appelle Thomas. A côté de lui, la **grande** fille avec les **cheveux bruns**, c'est une super amie ! Elle s'appelle Claire, tu vas beaucoup l'aimer.

Clara : La fille avec le bikini bleu et violet ?

Céline : Mais non, ça c'est Juliette. Claire a les cheveux plus longs, et **bouclés**. Elle a une **casquette** blanche. Tu la vois ?

Clara : Ah oui ! Et ils viennent dans notre direction.

Céline : Je les ai invités à déjeuner avec nous. Tu vas voir, ces vacances vont être géniales, et tu vas **te faire** plein de nouveaux **amis**. Ce soir, après le dîner, on ira au bar de la plage. J'ai demandé l'autorisation à mes parents, et ils ont dit oui. Il y a toujours des musiciens, les gens dansent un peu, tous les jeunes **se retrouvent là**. Tu vas voir, tu vas adorer !

Clara est d'accord : les vacances vont être géniales.

Les lunettes de soleil : the sunglasses

Revenir : to come back

Grand : tall

Les cheveux bruns : brown hair

Les cheveux bouclés : curly hair

Une casquette : a cap

Se faire des amis : to make friends

Se retrouver : to meet

Là : there

Des Questions (Chapitre 9)

1) Que font les élèves en cours de mathématiques ?

A. Des exercices de mathématiques
B. Un concours de gâteaux
C. Du sport
D. Manger des gâteaux

2) Quand termine l'année scolaire en France ?

A. En décembre
B. En juin
C. En Septembre
D. En juillet

3) Qui part en vacances ?

A. Céline et Clara
B. La mère de Céline
C. Clara et Céline, avec un groupe d'amis
D. Clara, Céline et sa famille

4) Où vont-ils passer les vacances ?

A. A Cannes
B. A côté de Cannes
C. A Lyon
D. A Saint Tropez

5) Comment s'appelle l'amie de Céline ?

A. Juliette
B. Mathilde
C. Claire
D. Judith

Les réponses (Chapitre 9)

1. D
2. B
3. D
4. B
5. C

CHAPITRE 10

Les mois ont passé, l'année se termine, et il est temps que Clara **rentre** chez elle. Dans deux jours, elle sera à New York avec sa famille. Bien sûr, elle est heureuse de revoir ses parents, sa **sœur**, et tous ses amis. Mais en **quittant** Lyon elle a l'impression de quitter sa deuxième famille, et sa deuxième maison.

Un peu avant l'heure du dîner, Florence lui demande d'aller chercher deux baguettes à la boulangerie. Quand elle revient, et qu'elle ouvre la porte d'entrée... Tout le monde est là ! La famille de Céline, Julien, et tous ses amis du lycée ! « Surpriiiise ! » Le salon est plein de **ballons** aux couleurs du **drapeau** américain, et sur la table il y a de grandes assiettes avec des **salades composées**, de la pizza, des tartes, des gâteaux, et des **bonbons**. Sur le mur, il y a une **guirlande** de grandes lettres rouge qui dit « **A BIENTÔT** »

Rentrer : to come back

Quitter : to leave

Une sœur : a sister

Un ballon : a balloon

Un drapeau : a flag

Une salade composée : a mixed salad

Un bonbon : a candy

Une guirlande : a tinsel

A bientôt : see you soon

Clara : Oh, merci, merci à tous ! **Je n'y crois pas** ! Quand est-ce que vous avez installé tout ça ?

Céline : On planifie cette fête surprise depuis des jours ! On voulait te **dire au revoir** de manière spectaculaire, pour que tu ne nous **oublie** pas, et que tu reviennes nous voir bientôt.

Clara : Je vous **remercie du fond du cœur**. Cette année avec vous a été merveilleuse**, grâce à** vous je ne me suis pas sentie seule. Je suis sûre que je vais revenir vous voir, mais avant ça, **j'espère** que vous aussi vous allez venir me voir aux Etats-Unis ! Je vous attends ! Et vous pourrez venir vous installer chez moi : mes parents sont d'accord.

Julien : Je crois que le premier à venir te voir, ce sera moi ! L'année prochaine je m'inscris à l'université en **licence** d'anglais, et je vais aller un semestre entier étudier à New York.

Florence : Quelle **bonne nouvelle** Julien ! **Félicitations**.

Je n'y crois pas : I can't believe it

Dire au revoir : to say goodbye

Oublier : to forget

Remercier : to thank

Du fond du cœur : from the bottom of your heart

Grâce à : thanks to

Espérer : to hope

Une licence : a bachelor's degree

Une bonne nouvelle : good news

Félicitations : congratulations

Clara **passe** une excellente soirée avec tous ses amis français. Quand elle va se coucher, elle est **reconnaissante** pour son année **ici**. **En plus** d'avoir amélioré son français, elle a découvert et appris beaucoup de choses.

Quand elle se réveille, elle réalise que c'est déjà son **dernier** jour. Elle doit se préparer et **faire sa valise**. Elle **commence** par choisir les vêtements qu'elle va porter pour voyager, et le **livre** qu'elle va **lire** dans **l'avion**. Maintenant, elle et capable de lire en français ! Ensuite, et **retire** ses vêtements du placard, et le **range** dans la valise. Les pantalons **d'un côté**, les hauts **de l'autre**, et les **sous-vêtements** dans un petit **sac**. Céline vient la voir.

Passer : to spend

Être reconnaissant : to be thankful

Ici : here

En plus : on top of

Dernier : last

Faire sa valise : to pack

Commencer : to start

Un livre : a book

Lire : to read

Un avion : a plane

Retirer : to remove

Ranger : to organize

D'un côté… de l'autre : on one side… on the other side

Des sous-vêtements : underwear

Un sac : a bag

Céline : Tu as besoin d'aide ?

Clara : Merci, ça va. Mais je ne sais pas si ma valise est **assez** grande. Pendant l'année j'ai acheté des choses, et j'ai aussi des **cadeaux** pour toute ma famille. Qu'est-ce que tu en penses ?

Céline : **Essaye** de t'organiser différemment. Par exemple, tu peux mettre tes **chaussettes** dans tes **chaussures**, et comme ça tu gagnes de la place.

Clara : Très bonne idée !

Heureusement, tout rentre dans la valise. Mais elle est un peu trop **lourde**. Clara va payer un extra.

Florence : Est-ce que tu as **imprimé** ton **billet** d'avion ?

Clara : Oui... Dans mon **sac-à-dos**, j'ai rangé mon passeport et mon billet d'avion.

Florence : Parfait. On doit partir dans une heure. Pour un vol international, tu dois arriver à l'aéroport minimum deux heures et demie avant le départ.

Clara : D'accord. Je vais vérifier que je n'oublie rien dans ma chambre.

Assez : enough

Un cadeau : a gift

Essayer : to try

Une chaussette : a sock

Une chaussure : a shoe

Lourd : heavy

Imprimer : to print

Un billet : a ticket

Un sac-à-dos : a backpack

Sur la route de l'aéroport, Céline **n'arrête** pas de **pleurer**. Clara va beaucoup lui manquer !

Quand ils arrivent, elle **cherche** son numéro de vol sur les **écrans d'information**, et va faire **l'enregistrement**. Elle voudrait être côté **couloir** pour pouvoir se lever quand elle veut, mais tous les **sièges** sont **occupés**. Elle va devoir être côté **fenêtre**. Avant de passer le contrôle de sécurité, elle **prend** son amie **dans ses bras**, et remercie ses parents. C'est difficile de leur dire au revoir sans savoir dans combien de temps elle va les revoir. Les filles se **promettent** de se parler sur Skype régulièrement.

Arrêter : to stop

Pleurer : to cry

Chercher : to look for

Un écran d'information : a noticeboard

L'enregistrement : the check-in

Couloir : aisle

Un siège : a seat

Occupé : taken

Fenêtre : window

Prendre quelqu'un dans ses bras : to hug someone

Promettre : to promise

Clara va à la **porte d'embarquement**, attend qu'on appelle les passagers de son vol. Puis elle monte dans l'avion. **L'hôtesse de l'air** contrôle son billet, et l'aide à trouver sa place. Elle s'assoit, et regarde par le **hublot**. Quand l'avion **décolle**, et regarde Lyon se transformer en un petit **point**, **de plus en plus** loin. Son année en France a été merveilleuse. Elle est contente de rentrer chez elle. Maintenant elle est impatiente **d'atterrir** et de prendre sa sœur dans ses bras.

La porte d'embarquement : the gate

Une hôtesse de l'air : a cabin crew

Un hublot : a plane window

Décoller : to take off

Un point : a dot

De plus en plus : more and more

Atterrir : to land

Des Questions (Chapitre 10)

1) Pourquoi tout le monde se réunit chez Céline ?

A. Pour son anniversaire
B. Pour l'anniversaire de Clara
C. Pour le départ de Clara
D. Pour le départ de Julien

2) Combien de temps Clara est restée en France ?

A. Trois mois
B. Un an
C. Six mois
D. Un an et demi

3) Qui va venir la voir aux Etats-Unis ?

A. Julien
B. Céline
C. Sa soeur
D. Personne

4) Quel est le problème de Clara ?

A. Sa valise est trop petite
B. Sa valise est trop grande
C. Elle a perdu sa valise
D. Sa valise est trop lourde

5) Que pense faire Clara dans l'avion ?

A. Dormir
B. Lire
C. Regarder des films
D. Parler avec son voisin

Les réponses (Chapitre 10)

1. C
2. B
3. A
4. D
5. B

Learn French
with
14 Days
of
Meditation and Mindfulness
for Beginners
A practical step by step guide to Relieving Stress, Anxiety and Depression to Becoming a Happier, Calmer You
French Hacking

Learn French With 14 Days Of Meditation & Mindfulness For Beginners

Introduction

I'm a big fan of meditation, practice it every morning and love all the benefits it has in my life. Some of the benefits I feel include:

- Reduced stress
- Increased emotional health
- Prolonged attention span
- Better sleep
- Overall happiness

I was wondering one day if I could combine my two hobbies of learning French and meditating together so I jumped online to see if their were any French meditations online.

To my disappointment I didn't find any quality ones like the ones I have in English. This sparked the idea of having some made for myself so I could listen to some French every morning while obtaining the results meditation provides simultaneously.
Voila, here is the creation of what has come together. I hope you enjoy it as much as I do and begin to feel some of the benefits meditation has to offer!

A side note: If some of the translations don't make sense word for word this might be because the exact word translation into English doesn't make sense. In this case the most appropriate word in English was chosen to help you understand what the meaning behind the meditation is. There will be less translations as the meditations go on since similar words are used throughout and aren't repeated.

Jour 1 - Apprendre à méditer

Bienvenue dans cette séance de méditation pour atteindre la paix. La **séance** d'aujourd'hui vous apprendra à vous apaiser et avoir pleine conscience de chacune de vos respirations.

Le but de la méditation est de nous permettre de nous reconnecter avec notre **moi intérieur**.

En prenant le temps de ralentir, et en nous permettant de se connecter à chaque moment, nous prenons conscience que nous représentons beaucoup plus que simplement l'incarnation d'une forme physique.

Respirez profondément, commençons cette séance. Installez-vous dans une position confortable. Vous pouvez vous **asseoir** sur un coussin, sur le sol ou **n'importe où** vous puissiez vous appuyer contre un mur. Trouvez simplement un endroit à vous, qui soit calme et où vous puissiez entrer profondément en vous-même.

Fermez les yeux, et commencez à prendre pleine conscience de votre **respiration**.

Inspirez **lentement** et profondément, par le nez, et **expirez** doucement par le nez ou la bouche.

Inspirez, et expirez

Laissez reposer vos mains sur vos genoux. Vous pouvez laisser **les paumes vers l'intérieur ou l'extérieur**. En fonction de qui est le plus confortable pour vous.

Laissez-vous **lentement plonger et vous ancrer dans le sol**

Lâchez prise

Sentez vos **paupières** devenir lourdes. Laissez vos yeux se reposer pendant que vous respirez profondément.

Détendez tout votre visage. **Débarrassez-vous de toute pensée**. Libérez simplement votre esprit de toute analyse, jugement ou pensée. Donnez-vous le droit de vous reposer.

Inspirez, et expirez

Commencez à sentir que votre **colonne vertébrale** s'étire, de sa base jusqu'en haut de votre crâne. Sentez cette énergie puissante vous parcourir. Détendez vos mains, ainsi que vos épaules. Sentez simplement **votre ventre se gonfler et se dégonfler** à chacune de vos respirations.

Inspirez, et expirez.

Abandonnez votre corps, et tout ce que vous savez. Profitez simplement du moment présent. Ressentez chaque inspiration et chaque expiration.

Voyez vos pensées comme des nuages traversant un beau ciel bleu

Remarquez leur présence mais ne faites pas attention à ce qu'elles signifient

Laissez-les passer au fur et à mesure que vous vous lâchez prise

Inspirez, et expirez

A mesure que vous plongez dans votre état de méditation, introduisons le mantra, l**a pensée centrale de la méditation** d'aujourd'hui. Laissez ce mantra vous ramener vers votre respiration et votre moi intérieur, chaque fois que les distractions de votre esprit deviennent trop importantes. Récitez ce mantra avec confiance et conviction. Gardez à l'esprit que vos mots sont puissants et que, en envoyant une énergie positive vers l'univers, la même énergie vous sera donnée en retour.

J'attire l'amour, la joie et la paix

J'attire l'amour, la joie et la paix

J’attire l’amour, la joie et la paix

Chaque fois que vous répétez ce mantra, sentez vraiment cette énergie **apaisante** et pleine d’amour entrer dans votre corps et dans votre âme. Laissez la vous guérir comme vous en avez besoin.

J’attire l’amour, la joie et la paix

J’attire l’amour, la joie et la paix

J’attire l’amour, la joie et la paix

Maintenant, **récitez cela dans votre tête** jusqu’à ce que vous entendiez un **léger tintement**, signe qu’il sera temps de libérer le mantra.

(Music Break)

C’est le moment de **libérer** le mantra. Commencez lentement à diriger votre conscience vers votre respiration. Inspirez profondément et expirez lentement. Commencez lentement à reprendre **conscience** de votre corps. Vous pouvez bouger vos doigts et vos mains. Quand vous êtes prêt, vous pouvez ouvrir doucement les yeux et rester assis en silence un moment. Ressentez cette sensation de paix et de joie.

Tout au long de votre journée, rappelez-vous de cette sensation que vous expérimentez maintenant. La paix et le calme.

Revenez à ce sentiment, chaque fois que vous trouvez que c’en est trop pour vous. Ayez conscience qu’il est présent en vous chaque jour. Vous pouvez revenir à ce sanctuaire intérieur à n’importe quel moment. Simplement en vous rappelant de respirer, de fermer les yeux un moment. En vous reconnectant avec votre âme.

Merci beaucoup d’avoir participé à cette séance de médiation. Je vous souhaite une agréable journée.

Namasté

Day One Translations

Apprendre à méditer - how to meditate

Séance - session

Le but - the goal

Moi intérieur - inner selves

Respirez profondément - breath deeply

Asseoir - sit

N'importe où - anywhere

Fermez les yeux - close your eyes

Lentement - slowly

Expirer - breathe out / exhale

Les paumes vers l'intérieur ou l'extérieur - palms facing up or down

Lentement plonger et vous ancrer dans le sol - slowly begin to sink and melt into the ground

Paupières - eyelids

Débarrassez-vous de toute pensée - let go of any thoughts

Colonne vertébrale - spine

Votre ventre se gonfler et se dégonfler - your stomach rise and fall

Inspirez, et expirez - inhale and exhale

Remarquez - visualise

A pensée centrale de la méditation - the centering thought of our meditation

J'attire l'amour, la joie et la paix - I attract love, joy and peace

Apaisante - soothing

Récitez cela dans votre tête - Repeat silently in your mind

Léger tintement - soft bell

Libérer - release

Conscience - awareness

Tout au long de votre journée - throughout your day

Jour 2 - Pleine conscience

Bienvenue dans cette séance de méditation **pour vivre dans la sincérité**

Dans notre séance d'aujourd'hui, nous nous concentrerons sur la recherche de l'amour, de la beauté et de la vérité qui se trouvent en **nous-même**, afin de les projeter sur le monde qui nous entoure.

La plupart d'entre nous a **tendance** à se rendre la vie plus difficile de beaucoup de manières

Nous pensons qu'il nous faut avoir tel travail, posséder telle voiture, vivre dans tel quartier pour pouvoir se sentir vraiment heureux et accompli dans nos vies

Bien sûr, toutes ces choses-là sont magnifiques à bien des égards, mais **elles ne constituent pas la base de notre bonheur**

Trouver vraiment le bonheur est assez simple. Ça ne peut pas avoir de prix car c'est là en nous chaque jour, si nous choisissons simplement d'y regarder de plus près.

Parfois, l'observation peut être le meilleur moyen de trouver le bonheur

Voir la beauté en tout ce qui nous entoure dans nos vies, que ce soit le sourire d'un enfant, un beau coucher de soleil, l'odeur de l'océan, ou les feuilles tombant d'un arbre pendant un belle journée d'automne.

Le bonheur réside dans les choses simples et une fois que l'on a ouvert les yeux sur les miracles quotidiens de la vie, l'existence en elle-même devient un miracle.

Une fois que l'on a commencé à voir à quel point la vie est magique, on doit commencer à s'attarder sur ceux qui nous entourent et **qui partagent le même chemin**, les êtres humains.

Oui, il existe peut-être des différences de visions politique et de religion, ou simplement de conception du monde, mais en définitive, si on se rend compte que nous sommes tous des êtres à deux jambes qui respirent, parlent et aiment, on commence à réaliser que **nous sommes tous les mêmes**, nous sommes tous ici ensemble, nous ne faisons qu'un.

Nous voulons tous être heureux, en bonne santé et aimés.

Accepter cette idée est l'un des moyens de comprendre l'autre un peu mieux

Comprendre que nous avons tous nos propres problèmes

Nous voulons tous être aimés et écoutés d'une manière ou d'une autre et nous voulons tous trouver le bonheur, peu importe à quoi ressemble le bonheur pour chacun de nous.

On comprend que derrières les égos et les jeux de pouvoir, au fond, nous partageons tous les mêmes buts et les mêmes objectifs.

Cela étant dit, nous pouvons commencer à méditer

Commencez par vous installer confortablement sur votre tapis, votre lit ou sur le sol.

Fermez les yeux

Posez vos mains sur vos genoux et commencez à **prendre conscience de votre respiration**

Inspirez et expirez doucement

Détendez votre visage

Libérez votre visage de tout mouvement, laissez vos paupières devenir lourdes et **détendez votre mâchoire**.

Relâchez-vous de toute tension au visage puis des épaules

Sentez-vous ancré et apaisé

Dirigez votre attention vers votre inspiration et votre expiration à mesure que vous vous libérez de tout le reste

Sentez **la fraîcheur de l'air** quand vous inspirez, et **la chaleur de l'air** quand vous expirez.

Débarrassez-vous de toute pensée ou plan, soyez simplement vous-même

Inspirez

Et expirez

Rendez-vous compte de comment vous vous sentez en ce moment même.

Sentez-vous une quelconque tension dans votre corps ?

Concentrez-vous là-dessus

Et à chaque expiration, libérez-vous-en

Introduisons le mantra d'aujourd'hui

Répétez ce mantra dans votre tête

Ou utilisez-le pour vous ramener vers le moment présent si votre esprit commence à s'évader pendant cette séance.

Je vois la beauté, je recherche la vérité, je ne fais qu'un avec les autres

Je vois la beauté, je recherche la vérité, je ne fais qu'un avec les autres

Je vois la beauté, je recherche la vérité, je ne fais qu'un avec les autres

Répétez cela dans votre tête

Jusqu'à ce que vous entendiez un léger tintement, signe qu'il sera temps de libérer le mantra

(Music Break)

C'est le moment de libérer le mantra

Commencez doucement à **prendre des respirations plus profondes**

Inspirez et expirez

Prenez votre temps,

Vous pouvez rester assis calmement **ainsi aussi longtemps que vous le voulez**

Ou bien, si vous êtes prêt, ouvrez les yeux.

Tout au long de votre journée, restez présent à ce que vous faites

Prêtez attention à la beauté autour de vous et **aux petites choses pour lesquelles vous devez vous sentir reconnaissant**.

Chaque respiration, chaque moment que vous passez dans ce monde merveilleux

Choisissez de voir ce qu'il y a de beau dans l'existence, **laissez-vous guider par la vérité** et la sagesse de l'univers.

Envoyez de l'amour et de **la bonté** vers ceux qui vous entourent

Ouvrez votre cœur et votre esprit **à toutes les possibilités qu'offre la vie**

Et sachez que, en **changeant votre manière de voir les choses**, les choses que vous regardez changent.

Amour et lumière, namasté.

Day Two Translations

Pleine conscience - mindfulness

Pour vivre dans la sincérité - for living truthfully

Nous-même - ourselves

Tendance - tendency

Elles ne constituent pas la base de notre bonheur - they are not the root of our happiness

Qui partagent le même chemin - who share the same path

Nous sommes tous les mêmes - we are all the same

Commencez par vous installer confortablement sur votre tapis - begin by sitting comfortably on your mat

Prendre conscience de votre respiration - bring awareness to your breath

Détendez votre mâchoire - unclench your jaw

Sentez-vous ancré et apaisé - feeling yourself grounded, and appease

La fraîcheur de l'air - the coolness of the air

La chaleur de l'air - the warmth of the air

Rendez-vous compte - make yourself aware

Ou utilisez-le pour vous ramener vers le moment présent - Or simply using it to bring you back to the present moment i

Je vois la beauté, je recherche la vérité, je ne fais qu'un avec les autres - I see beauty, I seek truth, I am one with all

Prendre des respirations plus profondes - take a deep breath

Ainsi aussi longtemps que vous le voulez - as long as you want

Aux petites choses pour lesquelles vous devez vous sentir reconnaissant - the little things to be grateful for

Laissez-vous guider par la vérité - allow yourself to be guided by truth

La bonté - kindness

À toutes les possibilités qu'offre la vie - to all possibilities of life

Changeant votre manière de voir les choses - change the way you see things

Jour 3 - Libération du stress

Aujourd'hui nous allons prendre le temps de faire sortir toute énergie négative de votre corps. Si vous avez eu une journée stressante, **une journée trop remplie**, c'est le moment parfait pour prendre le temps de vous libérer de toute l'énergie dont vous n'avez plus besoin.

Commencez à détendre votre corps en **déroulant vos épaules vers l'arrière** plusieurs fois.

Réalisez des mouvements circulaires. Libérez-vous de toute cette énergie qui s'est accumulée dans vos épaules tout au long de la journée. Tournez ensuite votre tête vers la droite pour libérer toute tension dans le cou. Tournez la tête vers la gauche.

Placez ensuite doucement votre **bras droit sur le côté droit** et étirez votre bras gauche au-dessus de votre tête.

Replacez-vous au centre

Et faites de même de l'autre côté

Puis **revenez au centre**.

Replacez-vous dans une position confortable. Maintenant, fermez les yeux et **reposez vos mains** sur vos genoux. Respirez profondément, deux fois.

Prenez pleine conscience de votre respiration

Et si vous avez besoin de plus de temps pour vous détendre, prenez autant de respirations que vous le voulez. Puisque vous êtes assis les yeux fermés, je voudrais accompagner **votre esprit vers un lieu agréable**. Cela peut être sur une plage, ou bien devant une belle étendue d'eau. Cela peut être dans un endroit que vous connaissez, comme une maison de vacances ou un ancien foyer. Un endroit où vous vous sentez heureux et en sécurité. Visualisez ce lieu dans votre esprit, visualisez les détails merveilleux de chaque endroit.

Et asseyez-vous, où que vous soyez. Restez dans votre esprit, et **libérez-vous du poids de votre corps**. Dans votre lieu de bonheur.

Maintenant, inspirez profondément, **rassemblez** toute cette énergie, tout ce qui vous a stressé pendant la journée. Tout ce qui vous a **dérangé** pendant la journée.

En expirant, laissez toute cette énergie, toute ces choses qui vous ont dérangé, quitter votre corps. Puis à nouveau, inspirez profondément.

Expirez et **lâchez prise**. Vous êtes en paix, en sécurité, dans votre endroit à vous.

Vous pouvez inspirer et expirer autant de fois que vous le voulez. Si votre journée a été particulièrement stressante, n'hésitez pas à prendre plus de temps et détendez-vous.

Visualisez-vous en train d'expirer tout ce dont vous n'avez plus besoin

Inspirez toute l'énergie positive vers l'intérieur de votre corps. Un peu comme si vous inspiriez une belle lumière blanche. Une énergie pleine de bonheur de joie et de compassion, de bonté et d'amour.

Continuez à respirer ainsi pendant quelques temps, libérez-vous du passé, et inspirez le présent et **ce qui est à venir**.

(Music Break)

Et maintenant, tranquillement, quand vous êtes prêt, commencez à bouger vos doigts. **Reprenez conscience** de vos mains.

Eloignez-vous doucement de votre lieu, et tout en commençant lentement à ouvrir vos yeux, continuez de respirer profondément, **sentez-vous léger**, sans problème et satisfait. D'où vous êtes et de qui vous êtes. Sachez que tout ce qui a pu se passer durant votre journée ou tout ce qui a pu arriver par le passé, **n'a plus aucun pouvoir** ou effet sur votre corps, ni sur votre esprit. Cela n'a plus aucun contrôle sur qui vous êtes et ni sur ce que vous réserve l'avenir.

Inspirez profondément, **renforcez** votre colonne vertébrale

Expirez, lentement en **ramenant** vos bras vers votre cœur.

Recommencez une seconde fois, inspirez profondément, prenez la plus grande respiration possible, expirez en ramenant vos mains vers votre cœur.

Restez simplement là un moment, pensez à tout ce pour quoi vous êtes **reconnaissant** dans votre vie. Tout ce qui vous rend heureux.

Et une fois que vous êtes prêt, **redescendez** doucement vos bras le long du corps.

Merci d'avoir participé à cette séance. J'espère que vous vous sentez mieux, **plus détendu et déstressé**. Répéter cet exercice de méditation tout au long de votre semaine vous permettra de vous débarrasser de toute cette énergie négative que nous avons tendance à **emmagasiner** en nous.

Merci beaucoup et à bientôt.

Day Three Translations

Libération du stress - stress relief

Une journée trop remplie - a busy day

Déroulant vos épaules vers l'arrière - rolling the shoulders back

Réalisez des mouvements circulaires - make circulaire movements

Bras droit sur le côté droit - right arm on the right side

Revenez au centre - come back to centre

Reposez vos mains - resting your hands

Prenez pleine conscience de votre respiration - bring full attention to your breath

Votre esprit vers un lieu agréable - your mind in a happy place

Libérez-vous du poids de votre corps - let go of your bodyweight

Rassemblez - gather

Dérangé - bothered

Lâchez prise - let it all go

Ce qui est à venir - what's to come

Reprenez conscience - be aware

Sentez-vous léger - feel light

N'a plus aucun pouvoir - no longer has any power

Renforcez - strengthen/lengthen

Ramenant - bringing back

Reconnaissant - thankful

Redescendez - back down

Plus détendu et déstressé - more relaxed and de-stressed

Débarrasser - get rid of

Emmagasiner - store up

Jour 4 - Être dans l'instant présent

Je suis heureux de commencer cette journée avec vous

Et **je suis heureux que vous dégagiez** du temps dans votre emploi du temps de ce matin et que **vous consacriez** les 10 prochaines minutes à vous-même

Prenez le temps de respirer, de **vous reconnecter à votre moi profond** et calmer votre esprit **avant de devoir affronter la réalité** de la vie.

Vous donner du temps pour aligner vos pensées, revoir vos priorités et vous **rééquilibrer** est extrêmement bénéfique pour votre vie.

Alors cela étant dit, installez-vous dans une position confortable, de préférence assise, fermez les yeux et mettez vos mains sur les genoux

Et commencez maintenant à prendre conscience des mouvements de votre respiration

Prenez une profonde respiration, sentez vos **côtes** et votre poitrine **s'étirer**

Puis sentez vos côtes et votre poitrine se contracter quand vous expirez

Inspirez

Et expirez doucement par la bouche

Recommencez, respirez profondément

Et expirez, laissez-vous aller complètement

Libérez-vous de toutes pensées concernant l'endroit où vous devez vous rendre bientôt

Ou de ce que vous devez faire aujourd'hui

Et gardez simplement conscience de votre respiration

Inspirez

Et expirez doucement

Inspirez encore,

Et expirez, sentez-vous dans le moment présent

Quand vous inspirez, sentez la fraîcheur de l'air entrant dans vos **narines**

Et quand vous expirez doucement, sentez la chaleur de l'air qui quitte vos narines ou votre bouche

Inspirez

Puis laissez-vous aller, expirez

Voici la pensée centrale d'aujourd'hui que vous devrez garder avec vous et qui vous guidera pour les 10 prochaines minutes.

Je suis en pleine conscience, en ce moment présent

Tout le monde se voit **distrait** quand il commence à méditer

Il est normal d'être distrait par des pensées, des sentiments, des sensations dans votre corps

L'impatience, des bruits ou la nervosité.

Alors si cela vous arrive, recentrez-vous sur votre respiration

Ramenez votre esprit vers cette pensée centrale, répétez-la dans votre tête

Je suis en pleine conscience, en ce moment présent

Je suis en pleine conscience, en ce moment présent

Ne jugez pas votre esprit qui s'évade

Rappelez-vous que cela est complètement normal

Respirez simplement,

Ecoutez votre respiration,

Et répétez dans votre tête

Je suis en pleine conscience, en ce moment présent

Je suis en pleine conscience, en ce moment présent

Dans votre tête

(MUSIC BREAK)

Maintenant commencez doucement à reprendre conscience de votre corps

Vous pouvez commencer à bouger vos doigts

Un doigt à la fois,

Sentez l'énergie dans vos mains

Sentez l'énergie dans tout votre corps

Respirez plus profondément

Sentez-vous **redynamisé**

Inspirez profondément encore une fois, sentez cet **étirement de votre buste**

Expirez profondément, sentez-vous **ancré** dans le sol

Et dès que vous êtes prêt, vous pouvez ouvrir les yeux

Au cours de votre journée, quand vous vous sentirez en situation de stress, d'**angoisse** ou de frustration

Pensez à prendre un moment pour simplement respirer et revenir à cette pensée centrale

Exactement comme pendant cette séance

Je suis en pleine conscience, en ce moment présent

Je suis en pleine conscience, en ce moment présent

Merci d'avoir participé à cette séance, je suis heureux d'avoir commencé la journée avec vous

Je vous souhaite une bonne journée, remplie de choses positives et de succès

Namasté

Day Four Translations

Être dans l'instant présent - being present

Je suis heureux que vous dégagiez - I'm glad you cleared

Vous consacriez - dedicating to yourself

Avant de devoir affronter la réalité - before dealing with reality

Vous reconnecter à votre moi profond - connecting to your deeper self

Rééquilibrer - rebalance

Côtes - ribs

S'étirer - stretch

Narines - nostrils

Je suis en pleine conscience, en ce moment présent - I am mindful, in this present moment

Distrait - distracted

L'impatience, des bruits ou la nervosité - Impatience, maybe sounds, or even restlessness

Alors si cela vous arrive, recentrez-vous sur votre respiration - So when this happens to you, come back to your breath

Ne jugez pas votre esprit qui s'évade - Try not to judge your wandering mind

Redynamisé - revitalized

Étirement de votre buste - expansion of your chest

Ancré - anchored / grounded

Angoisse - anxious

Jour 5 - Relaxation

Bienvenue dans cette séance de méditation **pour vous libérer de votre anxiété**. Asseyez-vous, **droit**, dans une position confortable. Inspirez, levez les bras vers le ciel. Expirez en descendant vos bras vers vos genoux

Trouvez votre respiration et votre centre. Puis posez vos mains sur vos genoux. Vous pouvez vous **adosser** à un mur ou **vous tenir droit**. En fonction de ce qui est le plus confortable pour vous.

Détendez vos épaules et allongez votre colonne vertébrale

Commencez à prendre quelques inspirations profondes, pour vous libérer de toute tension que vous puissiez ressentir en ce moment présent.

Inspirez profondément, et expirez, lâchez complètement prise

Portez votre attention sur votre respiration. Sentez la fraîcheur de l'air passant à travers vos narines quand vous inspirez et sa chaleur quand vous expirez.

Soyez présent à ce moment, maintenant, où que vous soyez.

Quand vous commencez à ressentir que cette tension quitte doucement votre corps, **aspirée** par votre respiration, **dirigez là vers votre palais**.

Commencez maintenant à respirer plus profondément, et dirigez votre respiration vers le centre de votre crâne, où se situe le chakra du troisième œil. Juste derrière les sourcils.

Laissez votre respiration passer par votre **front**, à travers l'espace entre vos sourcils.

Commencez à ressentir que votre respiration se déplace vers l'intérieur. Il est normal que des pensées **apparaissent**. Si cela arrive, laissez-les venir mais n'y prêtez pas attention. Voyez-les comme des nuages qui flottent, laissez-les passer, choisissez de ne pas vous sentir concerné par eux.

Restez dans un état dans lequel votre esprit est imperméable.

Continuez à vous concentrer sur les sensations que créent vos respirations en passant à travers vos narines, à travers le centre de votre crâne, et entre vos sourcils

Sentez que la paix et le calme remplissent votre corps. Instaurez en vous un **état de silence intérieur.**

(MUSIC BREAK)

Sentez cette énergie chaude et positive **parcourir** chaque cellule de votre être, et vous remplir d'amour, de paix, de calme, de satisfaction et de bonheur.

Vous vous trouvez exactement où vous êtes censé vous trouver dans votre vie en cet instant précis. Tout ce que vous avez, est exactement ce dont vous avez besoin, et tout ce que vous savez est exactement ce que vous avez besoin de savoir en ce moment précis. Tout obstacle ou défi que vous traversez maintenant **a un but**, vous rendre plus fort, plus puissant pour tout ce que la vie **vous apportera de formidable**.

En continuant à respirer, restez dans cet état. Libérez-vous de ces peurs dont vous n'avez plus besoin. Commencez à visualiser les opportunités merveilleuses, que la vie va vous offrir, par la pratique de l'amour et de l'expression

Sentez cette sensation de calme, et de détente qui vous envahit. En continuant à respirer profondément, sentez cette énergie négative quitter votre corps. Sentez une énergie positive entrer en vous.

Dès que vous êtes prêt, vous pouvez commencer doucement à ouvrir les yeux, et à bouger vos doigts. Puis prenez une grande inspiration, levez ensuite les bras haut vers le ciel. Rassemblez toute l'énergie positive dont vous avez besoin pour vous aider à traverser tout ce que vous vivez en ce moment. Dirigez cette énergie vers votre cœur, remplissez-le de cette énergie positive et pleine d'amour.

Merci d'avoir participé à cette séance de méditation. Je vous souhaite amour, prospérité et bonheur.

Namasté.

Day Five Translations

Pour vous libérer de votre anxiété - for letting go of anxiety

Droit - upright

Adosser - lean against

Vous tenir droit - sit up right

Aspirée - breath in

Dirigez là vers votre palais - direct it to the roof of your mouth (palate)

Front - forehead

Commencez à ressentir que votre respiration se déplace vers l'intérieur- begin to feel your awareness moving inward

Apparaissent - come into existence / arise

État de silence intérieur inner state of silence

Parcourir - flowing

A un but - has a purpose

Vous apportera de formidable - will bring you greatness

Jour 6 - Gratitude

Bonjour,

Je vous remercie d'avoir choisi de commencer la journée en ma compagnie aujourd'hui

Je suis fier que vous preniez ces 10 minutes et décidiez de vous accorder ce moment pour vous, votre santé et votre pleine **conscience**

Ce matin, nous allons **nous remplir** de gratitude et de positivité, nous nous efforcerons de voir les belles choses de la vie, et d'être reconnaissants d'avoir des personnes avec qui les partager

Nous oublions souvent de **reconnaître** ce qu'il y a de merveilleux dans nos vies car nos esprits sont trop occupés à penser à ce que nous ne possédons pas ou n'avons pas encore accompli. Chacun de **nous doit suivre son propre chemin**. Et si nous voulons donner et recevoir de la positivité, de bonnes énergies et de l'amour, nous devons d'abord être reconnaissant pour ce que nous avons déjà reçu.

La séance d'aujourd'hui sera donc centrée sur la gratitude, et sur **comment valoriser les belles choses** qui nous entourent déjà.

Pour commencer, installez-vous dans une position confortable, sur un **matelas** ou sur le sol, de préférence avec vos jambes croisées. Si vous avez des **écouteurs**, mettez-les, prenez une respiration profonde et une grande expiration.

Inspirez par le nez

Et expirez lentement par la bouche

Inspirez profondément

Et expirez doucement en **libérant** toute tension que vous pourriez sentir dans votre corps

Inspirez profondément

Et expirez

Libérez vous, inspirez

Et expirez

Soyez présent à ce moment, prenez conscience de votre corps

Sentez la fraîcheur de l'air qui passe dans vos narines quand vous inspirez

Et la chaleur de l'air qui s'échappe de vos narines ou de votre bouche quand vous expirez

Inspirez

Et expirez, laissez-vous aller

Étirez votre colonne vertébrale, sentez-vous à la fois grandi et ancré dans le sol

La pensée centrale d'aujourd'hui consiste à être reconnaissant pour **toutes les choses et tous les gens qui composent votre vie**

Transmettez cette gratitude à l'univers entier, simplement parce que toutes ces choses vous entourent

Répétez-vous cette pensée centrale

Ma vie est remplie de bénédictions et j'en suis reconnaissant

Ma vie est remplie de bénédictions et j'en suis reconnaissant

Ma vie est remplie de bénédictions et j'en suis reconnaissant

Rappelez-vous qu'il est normal d'être distrait pendant que vous méditez. Au fur et à mesure de la séance, si vous être distrait par un bruit ou une sensation dans votre corps, essayez de revenir vers cette pensée centrale

Ma vie est remplie de bénédictions et j'en suis reconnaissant

Ma vie est remplie de bénédictions et j'en suis reconnaissant

Restez dans cet état, répétez cette pensée centrale dans votre tête jusqu'à ce que vous entendiez le tintement.

Ma vie est remplie de bénédictions et j'en suis reconnaissant

Ma vie est remplie de bénédictions et j'en suis reconnaissant

Et dans votre tête

(MUSIC BREAK)

C'est le moment de vous libérer de ce mantra. Il est temps de **reprendre conscience de votre corps**.

Commencez à respirer de plus en plus profondément, sentez l'énergie dans votre corps, recommencez à bouger lentement chaque doigt de vos mains et de vos pieds.

Prenez votre temps, et dès que vous êtes prêt, ouvrez doucement vos yeux.

Tout au long de votre journée, trouvez des moments pour respirer profondément et revenir à cette pensée centrale. Ma vie est remplie de bénédictions et j'en suis reconnaissant

Merci d'avoir participé à cette séance, je vous souhaite une très bonne journée et j'espère vous revoir très vite.

Namasté.

Day Six Translations

Conscience - mindfulness

Nous remplir - filling ourselves

Reconnaître - recognise/acknowledge

Nous doit suivre son propre chemin - we must follow our own path

Comment valoriser les belles choses - how to appreciate beautiful things

Matelas - mattress

Écouteurs - headphones

Libérant - releasing

Toutes les choses et tous les gens qui composent votre vie - everyone and everything that is in our life

Ma vie est remplie de bénédictions et j'en suis reconnaissant - My life is filled with blessings and I am grateful

Reprendre conscience de votre corps - bring awareness back to your body

Jour 7 - Guérison

Bienvenue à ce septième jour de méditation guidée. Je vous remercie d'avoir choisi de participer à cette séance, d'avoir pris du temps pour vous et de consacrer ce temps à méditer pour arriver à soigner la ou les parties de vous qui en ont besoin. **La guérison n'est pas toujours physique**. Elle peut aussi être émotionnelle, mentale ou spirituelle. Peu importe la difficulté que vous ayez à affronter aujourd'hui une blessure physique, une maladie, **une peine de cœur** ou un quelconque autre dommage que l'on vous a infligé, sachez que **nos esprits sont bien plus puissants que ce que l'on croit.**

Dans la vie, tout est énergie. Vous comme moi sommes énergie. Nos pensées sont énergie. Sachant cela, nous pouvons apporter la guérison, la paix et la joie dans nos vies si nous décidons de nous nous appliquons à attirer seulement de l'énergie positive autour de nous. **La capacité de votre corps à guérir est plus grande que n'importe qui a pu vous le faire croire**, alors sachant cela, préparez-vous à consacrer votre méditation d'aujourd'hui à la guérison de ce qui en a besoin en vous. Que ce soit physique, émotionnel ou bien simplement accueillir plus d'énergie positive pour vous donner plus de force, de bien être et une meilleure santé.

Cela étant dit, commençons à méditer.

Asseyez-vous confortablement. Commencez par fermer les yeux. Faites reposer vos mains sur les genoux. Les mains ouvertes tournées vers le ciel, pour permettre à toute cette énergie positive de **se déverser** dans votre corps et vers votre âme. Soyez prêt à être complètement ouvert de l'intérieur. Prenez pleinement conscience de votre respiration.

Inspirez, et expirez

Inspirez profondément et expirez lentement, videz complètement vos poumons. **Prenez conscience** de votre cœur qui bat dans votre poitrine. Vos poumons se gonflent et se contractent, apportant de l'oxygène à votre corps. Cela remplira votre corps de paix et de calme.

Inspirez et expirez tout cet air. Encore une fois, inspirez profondément. Et expirez, laissez-vous aller.

Prenez conscience de votre visage. Détendez complètement votre front. Sentez vos yeux devenir lourds. Détendez votre mâchoire. Laissez votre langue se reposer dans votre bouche. Relâchez complètement votre visage. Dirigez lentement votre conscience vers vos épaules, laissez-les se relâcher. Sentez simplement ce sentiment de relaxation **envahir** tout votre corps. De haut en bas, vers le sol.

Inspirez et expirez

Sentez-vous complètement ancré dans le sol, sentez le support du sol en dessous de vous. Abandonnez-vous à ce sol, sentez votre corps devenir lourd. Mais gardez le cœur léger.

Inspirez et expirez

Prenez ce moment pour diriger votre conscience vers cette partie de votre corps qui a besoin de guérir. Si c'est émotionnel, dirigez votre conscience vers votre cœur si vous ne pouvez pas déterminer une partie précise, dirigez votre conscience vers votre chakra du troisième œil. Cet espace entre vos deux sourcils. Portez toute votre attention sur ces zones pendant que vous continuez de respirer et **plongez plus profondément** dans votre état de méditation.

Inspirez profondément. Et expirez, relâchez tout. Je voudrais que vous visualisez une lumière verte et vibrante. Voyez cette lumière et **faites-la rentrer dans votre corps**, dans votre esprit. Laissez-la peu à peu remplir chaque cellule de votre corps. Laissez cette lumière **vous combler de guérison**, d'amour et de paix. Laissez-la s'écouler dans votre corps. En commençant par le haut de votre crâne. Jusqu'à vos orteils. Remplissant chaque partie de votre corps.

Pendant que vous laissez cette lumière de guérison vous traverser, dirigez votre conscience plus particulièrement vers cette partie qui a besoin de guérir. Pendant que vous sentez cette énergie remplir votre corps, introduisons notre mantra.

Je suis en bonne santé, je suis fort et je suis en train de guérir

Je suis en bonne santé, je suis fort et je suis en train de guérir

Je suis en bonne santé, je suis fort et je suis en train de guérir

Récitez ce mantra dans votre tête, pendant que vous continuez de vous concentrer sur cette lumière de guérison qui vous envahit.

Je suis en bonne santé, je suis fort et je suis en train de guérir

Récitez-le en silence dans votre tête.

(MUSIC BREAK)

Il est maintenant temps de libérer le mantra. Commencez à rediriger votre conscience sur votre respiration. Inspirez profondément et expirez doucement et longuement.

Inspirez, expirez libérez tout l'air.

Dès que vous êtes prêt, vous pouvez commencer à bouger tous vos doigts, et tous vos orteils. Sentez une puissante énergie positive traverser votre corps. Prenez du temps pour profiter de cette énergie si vous le souhaitez. Ouvrez vos yeux dès que vous êtes prêt.

Rappelez-vous que votre esprit est extrêmement puissant, vos pensées peuvent avoir des répercussions physiques sur votre corps. Alors tout au long de votre journée, **efforcez-vous** de rester positif, dynamique et gentil.

Merci d'avoir participé à cette séance

Namasté.

Day Seven Translations

Guérison - healing

La guérison n'est pas toujours physique - Healing doesn't always mean physical healing

Une peine de cœur - a heartache

Nos esprits sont bien plus puissants que ce que l'on croit - our minds are way more powerful than we give them credit

La capacité de votre corps à guérir est plus grande que n'importe qui a pu vous le faire croire - Your body's ability to heal is greater than anyone has permitted you to believe

Cela étant dit - that being said

Se déverser- flow

Prenez conscience - be aware

Envahir - invade / fill

Plongez plus profondément - dive deeper

Faites-la rentrer dans votre corps - welcoming it into your body

Vous combler de guérison - overcome you with healing

Je suis en bonne santé, je suis fort et je suis en train de guérir - I'm healthy, I am strong, I am healing.

Efforcez-vous - try hard to

Jour 8 - Lâcher-prise

Bienvenue à ce huitième jour de méditation, je suis heureux que vous ayez choisi de passer les 15 prochaines minutes avec moi et avec vous-même.

J'espère que vous pourrez prendre ce temps, **brancher** vos écouteurs et vous couper de tout le reste. **Éteignez** votre téléphone, n'utilisez pas vos réseaux sociaux, coupez-vous de votre travail et consacrez ce moment précieux à votre santé, à votre bien être et à trouver un moment de paix dans votre esprit.

La méditation d'aujourd'hui aura pour but de **trouver le pardon** en vous-même, de parvenir à vous aimer vous-même assez pour vous libérer de ce dont vous n'avez plus besoin. Libérez-vous de tout ce qui pourrait **vous tracasser, vous miner ou aspirer l'énergie positive de votre être**. Cela peut être une personne, une situation, une expérience passée ou encore une pensée dont vous savez au fond que vous devez vous libérer pour pouvoir continuer de vivre une vie positive, dynamique et heureuse.

La vie est un voyage, le bon, le mauvais, le succès et l'échec en font entièrement partie, et participent à vous faire grandir pour construire la personne que **vous êtes censé être**. Nous ne pouvons pas accepter l'amour tant que nous n'avons pas vécu le contraire. Nous ne pouvons pas apprécier complètement le succès atteint avant d'être tombé plusieurs fois. Les leçons que l'on apprend de telles expériences constituent ce qui nous permet de comprendre qui nous sommes vraiment, ce que nous aimons faire et pourquoi nous en sommes arrivés là initialement.

Le problème avec ça, c'est qu'il est très difficile pour nous de laisser nos expériences passées derrière nous quand elles nous ont laissé un **goût amer**, ou quand une personne a affecté notre vie émotionnelle de manière si négative que cela continue d'affecter notre vie et notre relation avec nous-même. Cette énergie qui persiste et nous affecte n'apporte pas seulement de la négativité à notre état émotionnel mais peut également affecter physiquement notre corps à travers des douleurs, **des tensions musculaires et des maux de tête**.

Un de nos plus grand **défis** est donc de trouver une moyen de nous libérer des gens et des situations sur lesquels nous n'avons aucun contrôle. Lâchez prise et faites place à la paix, l'amour et le bonheur.

Avec cela en tête, commençons à méditer ensemble. Asseyez-vous dans une position confortable en tailleur, les mains posées sur les genoux ou serrées. Fermez les yeux et commencez à prendre pleine conscience de votre respiration.

Inspirez, sentez votre poitrine et votre ventre se gonfler et vos côtes s'écarter, puis expirez tout l'air de votre ventre, de vous poumons et d'entre vos côtes.

Expirez, poitrine, côtes, ventre, poitrine, côtes ventre

Encore une fois, inspirez profondément et lâchez prise.

Laissez chaque respiration vous détendre de plus en plus, relâchez toute tension dans votre visage, détendez votre front, sentez vos paupières devenir lourdes, détendez votre mâchoire. Laissez votre langue reposer dans votre bouche. Relâchez toute tension dans votre visage et laissez cet état de détente aller jusqu'à vos épaules et votre dos, sentez-vous ancré dans le sol dans cette position assise, complètement détendu.

Inspirez

Et relâchez-vous, expirez

Encore une fois, inspirez profondément, et expirez

Prêtez attention aux sensations qui parcourent votre corps quand vous inspirez

Puis quand vous inspirez, essayez de vous détendre un peu plus

Inspirez et expirez

C'est le moment de vous détendre, d'être calme, et apaisé en ce moment présent

Continuez de respirez, laissez votre esprit se poser

Rappelez-vous de recevoir toute pensée, sensation, ou émotion qui pourrait apparaître. Acceptez qu'elles sont là, puis simplement laissez-les partir avec vos expirations, lâchez prise.

Restez présent, détendu, et en paix avec le moment présent quand vous commencez à plonger plus profondément dans votre état de détente, profitons de ce moment pour introduire le mantra d'aujourd'hui, notre pensée centrale.

Dirigez ce mantra vers la personne ou la situation dont vous sentez que vous avez besoin de vous libérer.

Répétez ce mantra chaque fois que votre esprit commence à s'égarer vers d'autres pensées

J'aime, je pardonne, je me libère.

J'aime, je pardonne, je me libère.

J'aime, je pardonne, je me libère.

C'est le moment pour vous de décider de vous libérer de ce qui vous retient d'avancer dans votre vie.

J'aime, je pardonne, je me libère.

Maintenant, répétez cela dans votre tête

(MUSIC BREAK)

Il est temps de libérer le mantra, commencez lentement à reprendre conscience de votre respiration. Remplissez votre corps d'oxygène

Apportez une nouvelle énergie positive à votre corps, à votre champ énergétique

Commencez doucement à bouger chaque doigt et chaque orteil

Sentez cette belle énergie parcourir chaque cellule de votre corps. Puis dès que vous êtes prêt, ouvrez les yeux doucement.

Merci d'avoir participé à ce huitième jour de méditation

J'espère que vous pourrez garder à l'esprit ce mantra dans votre vie de tous les jours, **en sachant que dès qu'une énergie négative vous affecte**, vous avez toujours le pouvoir entre vos mains.

Amour et lumière sur vous, namasté.

Day Eight Translations

Lâcher-prise - letting go

Brancher - connect

Éteignez - switch off

Trouver le pardon - finding forgiveness

Vous tracasser, vous miner ou aspirer l'énergie positive de votre être - troubling you, getting you down or sucking positive energy out of your being

Vous êtes censé être - you are supposed to be

Goût amer - sour taste

Des tensions musculaires et des maux de tête - muscle tensions and headaches

Défis - challenges

J'aime, je pardonne, je me libère - I love, I forgive, I release

En sachant que dès qu'une énergie négative vous affecte - knowing that whenever negative energy affects you

Jour 9 - Paix et bonheur

Bonjour, bienvenue à ce neuvième jour de méditation. Je suis heureux que vous preniez ce temps dans votre journée pour vous, votre santé et votre bien être. La séance d'aujourd'hui aura pour objectif de trouver la paix et la satisfaction du moment présent.

Il nous arrive à tous de nous inquiéter pour notre futur, de **ressasser** le passé et les choix que nous avons faits et qui nous ont amené où nous sommes aujourd'hui dans nos vies. En vérité, ressasser le passé et s'inquiéter pour le futur n'est **pas du tout bénéfique à ce que vous êtes en train de vivre maintenant**. Le moment présent est le seul que vous ayez, ici et maintenant et la seule chose que vous puissiez contrôler. Mais accepter le passé, qu'il soit bon ou mauvais et accepter de vous retrouver avec vous-même, ici et maintenant, fera que tout se passera bien aujourd'hui. Prendre ce moment pour trouver la gratitude pour les **bénédictions** qui vous ont été données et les leçons que vous avez apprises vous permettra de trouver la paix et la satisfaction dans ce que vous êtes, où vous êtes et comment vous en êtes arrivé à ce moment présent. En vous libérant des **fardeaux** du futur, vous vous autorisez à vous concentrer sur le moment présent et à créer une meilleure image de vous-même.

Cela étant dit, commençons la séance, installez-vous confortablement en position assise, faites reposer vos mains sur vos genoux et prenez une grande inspiration et une lente expiration.

Libérez-vous de toute tension, ne faites qu'un avec votre respiration. Inspirez

Et expirez

Et à nouveau, relâchez-vous. Inspirez

Expirez

Sentez l'oxygène remplir vos poumons, remplir chaque cellule de votre corps. Détendez-vous de plus en plus. Inspirez et détendez-vous quand vous expirez. Inspirez profondément par le nez, expirez et laissez-vous aller.

Commencez à sentir votre corps de plus en plus à l'aise et détendu. Sentez la fraîcheur de l'air quand vous inspirez. Et la chaleur de l'air qui s'échappe de votre corps quand vous expirez, et qui apporte une sensation de paix à tout votre être.

Inspirez

Et laissez-vous aller, expirez

Inspirez

Et laissez-vous aller

Il est maintenant temps d'introduire notre mantra et notre pensée centrale. En restant dans une position confortable, répétez cela dans votre tête.

Je suis exactement où je dois être

Je suis exactement où je dois être

Je suis exactement où je dois être

Rappelez-vous, restez calme et patient avec votre esprit. Si certaines pensées surgissent ou si vous êtes distrait par des bruits extérieurs ou même par des sensations dans votre corps, **prenez les en compte et laissez-les s'en aller**. Cela étant fait, revenez à votre respiration et à votre mantra, répétez-le dans votre tête.

Je suis exactement où je dois être

Je suis exactement où je dois être

Je suis exactement où je dois être

Et dans votre tête

(MUSIC BREAK)

Il est temps de vous libérer du mantra. Commencez doucement à reprendre conscience de votre respiration. Revenez doucement à votre corps. Si vous le souhaitez, vous pouvez bouger un doigt ou un orteil. Sentez juste votre corps reprendre vie.

Dès que vous êtes prêt, vous pouvez ouvrir doucement les yeux. Laissez à votre corps le temps qu'il lui faut pour se réveiller.

Merci d'avoir participé à ce neuvième jour de médiation. J'espère que vous vous sentez calme, détendu et prêt à passer une magnifique journée. Merci et à bientôt.

Namasté.

Day Nine Translation

Paix et bonheur - peace and happiness

Ressasser - dwell on

Pas du tout bénéfique à ce que vous êtes en train de vivre maintenant - absolutely no benefit to the moment that you're in right now

Bénédictions - blessings

Fardeaux - burdens

Je suis exactement où je dois être - I am exactly where I need to be

Prenez les en compte et laissez-les s'en aller - simply acknowledge them and then let them go

Jour 10 - Accepter le moment

Bonjour, bienvenue à cette séance de médiation pour l'acceptation du moment présent. Cette séance aura pour objectif de recevoir et d'accepter ce que nous avons et où nous en sommes dans notre vie.

Chacun d'entre nous a un objectif à **atteindre**, une réalisation, un certain style de vie ou peut être simplement certains ont-ils en tête une vision de ce à quoi leur vie doit ressembler. Et aussi merveilleux que soient ces objectifs, ils sont un bon moyen de nous donner des ambitions, parfois la vie nous réserve des événements que nous ne pouvons pas contrôler. Parfois même cela peut nous frapper de plein de fouet. **Cela nous stoppe dans notre lancée**. Ca nous oblige à tout réanalyser et à repenser à ce que nous avons réalisé jusqu'à présent.

Ce qui est beau dans la vie c'est que parfois il vaut mieux s'assoir du côté passager et respirer profondément. Et **laisser les choses se dérouler**. Et cela ne veut pas dire qu'on ne devrait pas travailler dur et faire de notre mieux.

Mais quand les choses sont passées, vous ne pouvez pas faire ni dire grand-chose de plus. Le mieux que vous puissiez faire est de vous laisser aller et vous laisser porter par le courant. Parfois, **résister ne vous ferait que plus de mal**. En effet, cela crée plus de difficultés, plus de frustration car vous ne pouvez pas vous résoudre à accepter ce qui se passe. Vous êtes là, vous êtes en vie.

S'inquiéter de quelque chose que vous ne pouvez pas changer n'attirera que plus de négativité dans votre vie. Et très franchement, qui a besoin de ça ? Alors cela étant dit, commençons à méditer.

D'abord, installez-vous dans une position confortable sur un lit ou sur le sol. Asseyez-vous en tailleur. Allongez votre colonne vertébrale. Sentez-vous bien ancré dans le sol.

Commencez par fermer les yeux, et prenez conscience de votre respiration. Prenez une grande inspiration par le nez et expirez lentement.

Inspirez profondément, et expirez, lâchez prise.

Encore une inspiration, et quand vous expirez, visualisez cette énergie négative, faites-la sortir de votre corps. Sentez-la **fondre** hors de votre corps. Sentez-vous en accord avec votre corps. Sentez votre poitrine se gonfler et se contracter. Inspirez profondément et expirez.

Libérez-vous de toute tension dans les épaules. Laissez-les tomber, loin de vos oreilles. Commencez à ressentir une sensation de paix et de détente **envahir votre corps**. Inspirez. Et expirez profondément.

C'est votre moment

C'est une pause, un moment pour vous retrouver

Inspirez profondément,

Expirez

Sentez votre cœur battre dans votre poitrine. Sentez le rythme de ses battements. Cet organe magnifique vous permet d'être en vie, il vous donne de l'énergie. Il vous permet d'avoir la vie que vous avez. Inspirez profondément. Et expirez.

Quand vous commencez à sentir votre corps de plus en plus détendu. Introduisons le mantra, répétez-le dans votre tête. Ou alors utilisez-le lorsque votre esprit s'évade.

Je lâche prise, je me laisse porter par le courant

Je lâche prise, je me laisse porter par le courant

Je lâche prise, je me laisse porter par le courant

Répétez cela dans votre tête, jusqu'à que vous entendiez ma voix qui vous demande de sortir de votre méditation.

(MUSIC BREAK)

Il est temps de libérer le mantra. Commencez doucement à reprendre conscience de votre respiration. Prenez une grande inspiration.

Et expirez longuement.

Commencez doucement à sentir votre corps à nouveau, bougez tous vos doigts. Sentez l'énergie, passer dans tout votre corps. **Sentez-vous redynamisé, rééquilibré et en paix**.

N'hésitez pas à rester dans cet état aussi longtemps que vous le souhaitez, et quand vous êtes prêt, ouvrez doucement les yeux. Au cours votre journée, **remémorez-vous** ce mantra. Dès que vous vous sentez trop stressé, dans votre corps ou dans votre esprit, quand les choses vous échappent, lâchez prise. Il n'y a rien que vous puissiez-faire, ou alors si vous avez fait tout ce qui était en votre pouvoir, laissez faire et laissez-vous porter par le courant.

Merci beaucoup d'avoir participé à cette séance. J'espère que vous l'avez appréciée. Je vous souhaite une très belle journée. Remplie de joie, de paix et d'amour.

Namasté

Day Ten Translations

Accepter le moment - accepting the present moment

Atteindre - reach

Cela nous stoppe dans notre lancée - stopping us in our tracks

laisser les choses se dérouler - allow things to unfold how they will

résister ne vous ferait que plus de mal - resisting sometimes only does more harm to you

fondre - sink / melt

envahir votre corps - overcome your body

Je lâche prise, je me laisse porter par le courant - I release control, I surrender to the flow.

Sentez-vous redynamisé, rééquilibré et en paix - feeling re-energized, rebalanced, and peaceful

Remémorez-vous - remind yourself

Jour 11 - Faire émerger ses rêves

Je suis heureux que vous ayez pris ce temps dans votre journée

Pour le consacrer à vous-même, votre santé et votre bien être

Cette séance aura pour objectif de faire de vos rêves une réalité

Chacun de nous a ses propres buts et rêves

Et ce qui est beau, c'est que nos pensées ont un rôle primordial dans ceux-ci

Nos mots sont très puissants et les **ondes** que nous envoyons dans l'univers sont le reflet d'un résultat que nous arrivons presque toujours à attirer

Et vous, quels sont vos rêves ?

Que cherchez-vous à accomplir ?

Parfois nous **écartons** de nos rêves parce qu'ils sont trop dur à accepter et notre peur de l'échec nous les fait éviter très facilement

Je vais vous demander cela pendant les 10 prochaines minutes simplement pour que vous puissiez les affronter, les accepter et leur donner l'attention qu'ils méritent

Tout est énergie, et vous comme moi avons en nous l'énergie nécessaire pour le faire grâce à nos pensées. Nous y arriverons si nous reprogrammons notre manière de penser, de parler et de nous exprimer.

Nous pouvons opérer des changement incroyables qui attireront le succès, l'abondance et la joie dans nos vies.

Confucius disait « **celui qui dit pouvoir et celui qui dit ne pas pouvoir ont tous deux raison** »

Cela étant dit, commençons à méditer

Installez-vous dans une position confortable sur votre tapis, votre lit ou une chaise

Inspirez en levant vos bras vers le ciel, et en expirant redescendez vos mains vers vos genoux

Sentez-vous ancré fermement dans le sol

Sentez cette énergie puissante passer dans votre corps

Inspirez par le nez, expirez

Sentez vous bien ancré dans le sol et commencez à fermer les yeux

Prenez conscience de votre respiration, inspirez profondément

Et expirez longuement, libérez vous de tout tension que vous reteniez dans votre corps

Sentez-vous pleinement satisfait d'où vous êtes et de qui vous êtes à ce moment précis.

Inspirez profondément, Et expirez, détendez-vous

Vous avez tout ce dont vous avez besoin à ce moment précis

Vous êtes exactement où vous devez être

Prenez du temps pour accepter le moment présent

Inspirez et expirez

Commencez à prendre conscience de votre visage

Détendez votre front, sentez-vos yeux devenir lourds

Détendez votre mâchoire

Laissez votre langue se reposer dans votre bouche

Libérez vous complètement de toute tensions sur votre visage

Inspirez

Et expirez doucement, libérez vous de ces tensions

Détendez vos épaules et sentez votre corps se détendre de plus en plus

Libérez vous de toute pensée à propos de ce que vous avez à faire aujourd'hui

Ou de ce que vous avez fait

Soyez complètement présent à ce moment dans votre corps et avec vous-même

Inspirez profondément par le nez

Prenez conscience de chaque sensation qui apparaît dans votre corps

En expirant, détendez-vous

Inspirez profondément

Expirez, détendez-vous

Rappelez-vous que si des pensées commencent à apparaître ou si vous êtes distrait par des bruits, revenez simplement à cette respiration apaisante

rendez votre inspiration plus profonde et allongez vos expirations

Acceptez ces pensées, ne les combattez pas. Acceptez-les simplement et laissez-les s'en aller

Voyez-les comme des nuages passant dans le ciel

Laissez-les venir, puis repartir

Inspirez

Et expirez, détendez-vous

Nous allons maintenant introduire le mantra

Inspirez

Expirez en vous répétant doucement ces mots

Le bonheur, l'abondance et la prospérité entrent facilement dans ma vie

Le bonheur, l'abondance et la prospérité entrent facilement dans ma vie

Le bonheur, l'abondance et la prospérité entrent facilement dans ma vie

Pendant que vous répétez ce mantra, visualisez ce à quoi le succès peut ressembler pour vous

Pendant que vous répétez ce mantra, visualisez ce qui pourrait se passer de meilleur et voyez vos rêves devenir réaliser. De quoi rêvez-vous ?

Quel est votre plus grand rêve ?

Le bonheur, l'abondance et la prospérité entrent facilement dans ma vie

Le bonheur, l'abondance et la prospérité entrent facilement dans ma vie

Répétez cela dans votre tête maintenant

(MUSIC BREAK)

Il est temps de libérer le mantra

Commencez par reprendre conscience de votre respiration.

Prenez une profonde inspiration

Et expirez longuement.

Commencez à bouger votre corps

D'abord vos doigts

Puis chaque orteil

Sentez-vous redynamisé

Inspirez

Expirez

Maintenant, quand vous êtes prêt, ouvre doucement vos yeux

Prenez le temps

Restez assis en silence et réfléchissez

Avant de continuer votre journée

Prenez une minute environ pour voir vos rêves et objectifs devenir réalité

Qu'est-ce que ça ferait ?

Laissez ce sentiment être là avec vous

Comprenez bien que vous êtes capable d'accomplir ce que vous voulez dans la vie

Ayez foi, croyez en vous-même

Les possibilités sont infinies

Et cela commence avec une simple décision

Tout commence avec vous

Maintenant

Amour et lumière sur vous

Namasté.

Day Eleven Translations

Faire émerger ses rêves - manifesting dreams

Ondes - vibrations

Écartons - move away / hide

Celui qui dit pouvoir et celui qui dit ne pas pouvoir ont tous deux raison - he who said he can and he who says he can't are both right

Sentez-vous pleinement satisfait d'où vous êtes - Allow yourself to become fully content

Le bonheur, l'abondance et la prospérité entrent facilement dans ma vie - Happiness, abundance and prosperity flows easily into my life

Ayez foi - have faith

Jour 12 - Acceptation de soi

Bienvenue dans cette séance de méditation guidée. Je suis heureux que vous ayez pris du temps sur votre matinée chargée pour continuer la médiation. Ce matin, nous nous efforcerons de vous faire atteindre l'acceptation de vous-même. Nous vivons trop souvent dans le souhait que le futur nous apporte plus d'argent, plus de biens matériels, une meilleure image de soi ou une promotion. A tel point que nous oublions d'apprécier le moment présent et ce que nous avons déjà accompli. **Il s'agit donc de d'opérer un changement d'état d'esprit**, il faut passer d'une attente vis-à-vis du futur et à ce qu'il nous apporte plus de ceci ou plus de cela, et accepter que **tout est réellement à sa place**. Que vous avez exactement tout ce dont vous avez besoin à ce moment précis de votre vie et que tout ce qui s'est passé pour la raison de vous avoir amené où vous en êtes maintenant.

Alors asseyez-vous et commençons la séance d'aujourd'hui. Trouvez une position confortable. Fermez les yeux, et commencez à prendre pleine conscience de votre respiration. Inspirez profondément.

Et expirez

Inspirez profondément

Et expirez, laissez-vous entrer un peu plus dans votre état de méditation

Inspirez profondément, et laissez-vous aller

Abandonnez-vous au sol en dessous de vous, mais en même temps, commencez à sentir votre colonne s'allonger vers le ciel. Sentez cette sensation dans tout votre corps.

Rappelez-vous d'être spectateur de vos pensées. Visualisez-les comme des nuages qui passent. Acceptez que ce sont des pensées mais ne prêtez pas attention à ce qu'elles sont ni à ce qu'elles signifient.

Acceptez leur présence puis laissez-les s'en aller

Sachez qu'il est complètement normal d'être distrait, donc si cela vous arrive, acceptez-le simplement puis expirez profondément et revenez au moment présent.

Inspirez et expirez lentement, détendez vous de plus en plus à chaque respiration

Il est maintenant temps d'introduire le mantra d'aujourd'hui

Je fais suffisamment d'efforts, ce que j'ai me suffit, ce que je suis me suffit

Je fais suffisamment d'efforts, ce que j'ai me suffit, ce que je suis me suffit

Je fais suffisamment d'efforts, ce que j'ai me suffit, ce que je suis me suffit

Encore une fois, si vous vous sentez distrait par une pensée, du bruit ou une sensation dans votre corps, retournez simplement à votre respiration et répétez-vous ce mantra

Je fais suffisamment d'efforts, ce que j'ai me suffit, ce que je suis me suffit

Et répétez-le maintenant dans votre tête

(MUSIC BREAK)

Il est temps maintenant de libérer votre mantra. Reprenez conscience de votre corps, respirez plus profondément. Commencez très lentement à **remuer** chaque doigt, chaque orteil, sentez l'énergie dans votre corps.

Respirez plus profondément encore, inspirez, et expirez

Inspirez et expirez

Dès que vous êtes prêt, vous pouvez commencer à ouvrir doucement vos yeux. Et donnez vous du temps pour revenir à votre corps, au moment présent.

Tout au long de votre journée, efforcez-vous de vous fixer des objectifs et de poursuivre vos rêves, mais n'oubliez pas de vous réjouir et d'accepter qui vous êtes en ce moment présent, parce que c'est exactement où vous devez être.

Et rappelez-vous

Je fais suffisamment d'efforts, ce que j'ai me suffit, ce que je suis me suffit

Je fais suffisamment d'efforts, ce que j'ai me suffit, ce que je suis me suffit

Merci beaucoup d'avoir participé à cette séance.

Merci d'avoir pris du temps pour vous-même, votre santé et votre bien être.

A très bientôt j'espère, Namasté.

Day Twelve Translations

Acceptation de soi - self acceptance

Il s'agit donc de d'opérer un changement d'état d'esprit - It's all about shifting our mind from the future

tout est réellement à sa place - you are exactly where you need to be

Rappelez-vous d'être spectateur de vos pensées - remember to be the watcher of the thoughts

Je fais suffisamment d'efforts, ce que j'ai me suffit, ce que je suis me suffit - I am doing enough, I have enough, I am enough.

Remuer - move

Jour 13 - Positivité

Bienvenue dans cette séance de méditation pour trouver la paix et la positivité. L'objectif de la séance d'aujourd'hui sera de vous **libérer de tout ce dont vous n'avez plus besoin**. De toute inquiétude ou stress que vous puissiez ressentir en vous, et faire place à une énergie positive et pleine d'amour. Prendre conscience de cette énergie négative **puis faire le choix de la laisser s'en aller**.

Une fois que l'énergie ou les pensées négatives entrent dans nos esprits, l'égo aime s'y plonger, **les décortiquer ou les renforcer**. En réalité peu importe ce qui se passe ou s'est passé, cela fait maintenant partie du passé. Une fois qu'une situation ou un moment particulier a eu lieu dans nos vies et que nous avons l'impression que nous avons tout fait pour le réparer ou l'accepter, nous devons trouver la force en nous de nous reprendre et de s'en défaire mentalement.

Nous ne devons pas laisser cette négativité nous affecter, ni mentalement ni même physiquement, nous devons plutôt changer notre **schéma de pensée**.

En conscience et en laissant venir des pensées positives, **nous commençons à laisser s'échapper l'énergie négative** et c'est tout bonnement incroyable d'assister à un tel changement, qui peut même parfois survenir d'un coup.

Apporter de l'amour de la gratitude et de la positivité guérira votre esprit de tout schéma négatif.

Nous contrôlons nos pensées, et avons le pouvoir de décider à quel point nous voulons les laisser nous affecter. Alors maintenant, ensemble, décidons de nous débarrasser de tout ce qui pourrait nous déranger ou nous empêcher de trouver la paix dans nos esprits. Décidez de vous en libérer, comme on laisse tomber un rocher dans l'océan, regardez-le sombrer lentement, de plus en plus profond jusqu'à ce qu'il soit devenu complètement invisible. Profitons de ce moment pour modifier la fréquence de nos pensées, créons plus d'amour, de positivité et de gratitude.

Une fois cette idée en tête, installez-vous confortablement et commençons à méditer. Asseyez-vous dans une position confortable, que ce soit sur le sol ou dans votre lit, ou contre un mur, commencez par fermer les yeux. Dirigez toute votre conscience vers votre respiration, prenez une longue inspiration

Et une grande expiration

Puis inspirez profondément à nouveau

Et expirez. Prenez conscience du moment présent. Sentez le sol en dessus de vous, Lâchez prise et détendez-vous.

Encore une fois, inspirez profondément

Et expirez.

Quand vous inspirez, sentez la fraîcheur de l'air passant à travers narines, puis en expirant, prenez conscience de la chaleur de l'air sortant votre bouche ou votre nez.

Prenez simplement conscience de ces sensations. Inspirez,

Et expirez. Prenez conscience de votre visage.

Et relâchez toute tension de votre front et descendez lentement jusqu'aux yeux

Sentez vos paupières devenir lourdes, gardez les yeux fermés en vous concentrant sur votre respiration

Détendez votre mâchoire, libérez-vous de toute tension. Sentez votre langue reposer tranquillement dans votre bouche.

Inspirez

Et expirez

Prenez conscience de votre cœur, sentez son rythme. Il vous maintient en vie et en bonne santé. Concentrez-vous sur ses battements.

Inspirez profondément par le nez

Et expirez

Faites circuler l'énergie de la gratitude vers votre cœur, **sentez-vous reconnaissant d'être en vie**, d'être en bonne santé. Soyez reconnaissant pour toutes les choses merveilleuses de la vie qui vous font sourire tous les jours, aussi petites qu'elles soient. Laissez simplement ce sentiment de bonheur et de gratitude remplir votre cœur et remplir le reste de votre corps.

Inspirez,

Et expirez

A mesure que vous plongez de plus en plus dans cet état de relaxation, introduisons le mantra.

L'amour, la paix et la joie m'entourent chaque jour

L'amour, la paix et la joie m'entourent chaque jour

L'amour, la paix et la joie m'entourent chaque jour

Tout en récitant ce mantra, laissez la chaleur de ce qui vous rend heureux remplir votre esprit et votre cœur. Laissez le sentiment de gratitude **dissoudre** les inquiétudes et les pensées stressantes qui ont pu vous déranger par le passé. Revenez à ce moment, soyez présent et complément détendu, en sécurité et en paix, avec tout ce qui vous entoure.

L'amour, la paix et la joie m'entourent chaque jour

L'amour, la paix et la joie m'entourent chaque jour

Et maintenant, répétez le dans votre tête, plongez plus profondément encore dans la conscience de l'amour et de la paix en vous.

(MUSIC BREAK)

Il est temps de libérer le mantra

Commencez doucement à prendre conscience de votre respiration, inspirez profondément

Expirez. Si vous le souhaitez, vous pouvez commencer à bouger doucement chaque doigt, chaque orteil

Et dès que vous êtes prêt, vous pouvez ouvrir les yeux.

N'hésitez pas à rester plus longtemps dans cet état si vous le voulez. Autorisez-vous à vous sentir complètement en paix et à l'aise, en apportant toujours **plus d'ondes** positives à votre corps et votre esprit, en faisant entrer la gratitude et l'amour dans votre vie.

Alors tout au long de votre journée, prêtez attention à ces petites choses qui vous font sourire, qui vous font sentir vraiment chanceux et heureux d'être en vie, ce sont ces moments sacrés que l'on doit garder en nos cœurs.

Merci d'avoir participé à cette séance, je vous souhaite une très belle journée, remplie de joie, à très bientôt j'espère.

Namasté.

Day Thirteen Translations

Libérer de tout ce dont vous n'avez plus besoin - letting go of all that no longer serves us

Puis faire le choix de la laisser s'en aller - then make the choice to let it go

Les décortiquer ou les renforcer - dissect it, or dwell upon it

Schéma de pensée - thought patterns

Nous commençons à laisser s'échapper l'énergie négative - we will slowly start to diffuse the negativity

Guérira votre esprit de tout schéma négatif - will heal your mind of negative thought patterns

Sentez-vous reconnaissant d'être en vie - feel grateful to feel alive

L'amour, la paix et la joie m'entourent chaque jour - Love, peace and joy surrounds me every day

Dissoudre - dissolve

Plus d'ondes - more positive frequencies

Jour 14 - Force Intérieure

Bienvenue à cette séance méditation spéciale fin de journée.

Je suis heureux que vous ayez trouvé du temps pour vous, pour votre santé et votre bien être.

La fin de la journée est le moment pour votre corps et votre esprit de **s'apaiser** et de se relaxer

Ils ont chacun été sollicités, et ont travaillé toute la journée **pour votre permettre d'être qui vous êtes**, et de donner ce que vous avez à donner au monde.

Il est donc temps maintenant de vous installer dans une position confortable. Cela peut être sur un lit ou sur le sol. Fermez les yeux et mettez vos écouteurs. Il est temps de prendre conscience de votre moi intérieur et de reposer votre esprit. Asseyez-vous confortablement, resserrez l'index, le pouce et le majeur de chaque main, les yeux fermés, et commencez à vous concentrer sur votre respiration.

Inspirez profondément et expirez longuement

Inspirez,

Et expirez

Inspirez vers votre ventre, **sentez-le se déployer vers l'extérieur**

Puis expirez tout cet air pour qu'il dégonfle

Inspirez dans vos poumons, sentez vos côtes s'écarter

Et se rapprocher en expirant

Inspirez l'air dans votre ventre,

Puis un peu dans vos poumons

Puis expirez l'air de vos poumons, puis de votre ventre

Prenez maintenant une profonde respiration dans vos poumons, et sentez le haut de votre poitrine se gonfler

Puis expirez tout cet air, relâchez-vous

Réalisez les trois respirations en même temps dans votre prochaine inspiration, inspirez l'air d'abord dans le ventre, puis entre les côtes et enfin dans le haut de votre poitrine

Puis expirez tout cet air, d'abord de votre poitrine, puis de vos côtes et enfin de votre ventre

Inspirez dans votre ventre, entre vos côtes, dans votre poitrine

Expirez depuis votre poitrine, puis vos côtes, puis vos ventre

Inspirez dans votre ventre, entre vos côtes, dans votre poitrine

Ressentez des sensations de fraîcheur ou bien de chaleur dans votre corps tout au long de vos respirations

Inspirez,

Et relâchez-vous

Continuez l'exercice de la respiration en trois parties, pendant ce temps **j'aimerais que vous soyiez le témoin de vos pensées** et que vous visualisiez votre journée. Ce que vous avez fait ce matin, ce que vous avez mangé, avec qui vous avez parlé, toutes les expériences que vous avez pu avoir, les choses que vous avez accomplies ou pas. Vous devez vous rendre compte que ce jour était exactement comme il devait être, avec ce qu'il a de bon et de mauvais. Ce qui s'est passé est passé maintenant et tout va bien.

Demain, en vous réveillant vous deviendrez le créateur d'un tout nouveau jour, aujourd'hui sera derrière vous et vous pourrez recommencer à zéro, comme vous le décidez.

Alors, cela étant dit, introduisons notre mantra, la pensée centrale de la séance d'aujourd'hui

J'avance, et je laisse aujourd'hui derrière moi

J'avance, et je laisse aujourd'hui derrière moi

Laissez-vous plonger de plus en profondément dans votre état méditatif

A travers chaque inspiration, remplissez-vous de reconnaissance et de satisfaction envers ce que vous avez accompli aujourd'hui. Et avec chaque expiration laissez s'en aller toute négativité ou jugement de vous-même qui pourraient persister dans votre esprit. Et relâchez-vous.

Vous avez fait de votre mieux et demain est un nouveau jour

Restez présent à votre respiration

Inspirez, expirez

Sentez chaque partie de votre visage et de votre corps se relâcher, et se détendre

J'avance, et je laisse aujourd'hui derrière moi

J'avance, et je laisse aujourd'hui derrière moi

J'avance, et je laisse aujourd'hui derrière moi

Répétez cela dans votre tête

(Music Break)

Il est temps de libérer le mantra

Commencez à respirer plus profondément. Bougez tous les doigts et les orteils

A votre rythme, commencez à ouvrir les yeux, ou si vous êtes prêt à aller dormir, gardez-les fermés et allongez-vous.

Rappelez-vous que nous sommes les **créateurs de nos vies**. Nous dirigeons le flot d'énergie de nos vies grâce à nos pensées. Si vous avez senti que vous perdiez le contrôle de votre vie dernièrement, gardez ce mantra pour la nuit ou pour vous endormir pour vous rassurer sur votre pouvoir d'avancer, vers la réalité que vous souhaitez. **Chaque jour apporte une nouvelle chance de recommencer à zéro**, et chaque nuit vous donne la chance de laisser derrière vous ce qui ne vous sert pas.

Merci d'avoir participé à cette séance, j'espère que vous passerez une bonne soirée et que votre sommeil sera réparateur.

Namasté.

Day Fourteen Translations

Méditation du soir - evening meditation

S'apaiser - become calm

Pour votre permettre d'être qui vous êtes - to allow you to be who you are

Sentez-le se déployer vers l'extérieur -feeling it expand outward

J'aimerais que vous soyiez le témoin de vos pensées - I want you to be the witness of your thoughts

Demain, en vous réveillant - tomorrow when you wake up

J'avance, et je laisse aujourd'hui derrière moi - I move forward, and leave today behind

Sentez chaque partie de votre visage et de votre corps se relâcher - Allow each part of your face and body let go

Créateurs de nos vies - creators of our lives

Chaque jour apporte une nouvelle chance de recommencer à zéro - everyday is another chance at a fresh start,

Bonus One - Méditation du soir

Bienvenue à cette séance de médiation pour l'acceptation. Le but de la séance d'aujourd'hui sera d'accepter et suivre notre propre voie, telle que la vie nous l'offre.

Il est important de fixer **des objectifs et des attentes** pour nous même pour réussir à se motiver, et à être plus productifs dans nos vies. Cependant, il est important de se rendre compte qu'atteindre ses objectifs et atteindre le succès **n'est qu'une partie du chemin**. Le processus permettant de devenir une meilleure version de soi peut se retrouver dans n'importe quel domaine ou compétence en fonction de ce qui nous importe, et **c'est ce qui rend le voyage qu'est la vie d'autant plus spécial. Grandir réside dans la lutte**. C'est dans les moment difficiles qu'on s'aperçoit de notre force. C'est dans les moments où on prend la décision de ne plus se laisser traiter d'une certaine manière, que nous trouvons notre propre valeur. C'est dans ces moment où tout le monde autour de nous prétend que nos rêves ou nos objectifs sont trop grands, impossibles à atteindre que nous devons trouver cette force et croire en nous même pour avancer.

Le chemin est ainsi, et sans ses luttes et ses difficultés, le **succès et la victoire ne seraient pas aussi doux**. Donc plus vous avancez dans votre quotidien, et faites de votre mieux, tous les jours pour donner le meilleur de vous-même, plus vous apprenez à accepter tout ce qui se présente à vous.

Concentrez-vous sur chaque moment. Trouvez une chose pour laquelle être reconnaissant chaque jour pour pouvoir vraiment ouvrir votre cœur à l'idée que chaque chose fait partie d'un chemin que vous construisez chaque jour.

Ouvrez votre cœur à tout l'univers. Acceptez tout ce qui vient à vous avec amour et positivité, même si c'est la dernière chose dont vous avez envie. Apprenez à vous accepter et à vous aimer comme vous êtes aujourd'hui, beau et merveilleux. Sachez que tout ce se passe dans votre vie comme cela doit se passer. **Apprenez à vous laisser porter par le courant. Ne lui résistez pas. Rendez-vous. Faites-lui**

confiance. A la fin, tout ira bien, et si ce n'est pas le cas alors ce n'est pas vraiment la fin.

Cela étant dit, commençons à méditer. Installez-vous dans une position confortable, sur le sol ou sur votre lit. Allongez votre buste, dirigez vos paumes vers le haut.

Fermez les yeux et commencez à respirer profondément.

Inspirez et expirez, doucement et profondément

A chaque expiration, prenez le temps de vous libérer de toute négativité ou mauvaise énergie. Visualisez cette énergie quitter votre corps avec chaque expiration, laissez votre esprit d'entrer dans un état de relaxation de plus en plus profond.

Prenez conscience de votre cœur. Sentez votre cœur battre dans votre poitrine. **A chaque battement,** rappelez-vous que vous êtes en vie, heureux et en bonne santé.

Inspirez,

Et expirez

Sentez vos paupières devenir lourdes. Prenez conscience de l'espace entre vos deux sourcils, le chakra du troisième œil.

Remarquez des motifs et des couleurs apparaître à mesure que vous respirez. Prenez-en simplement note et continuez de respirer.

Inspirez, et expirez.

Libérez-vous de toute pensée ou inquiétude. Laissez-vous ne faire qu'un avec votre respiration. Devenez le témoin de vos pensées. Si une pensée ou **idée surgit, acceptez-la et laissez-la s'en aller**. Visualisez ces pensées être englouties comme des pierres au fond d'un lac. Lâchez prise tranquillement.

Inspirez, et expirez. Pendant que vous respirez, introduisons le mantra. Concentrez-vous sur lui ou revenez-y chaque fois que vous sentez votre esprit dériver.

J'accepte de suivre le chemin de mon propre voyage, je le reçois et je l'accepte.

J'accepte de suivre le chemin de mon propre voyage, je le reçois et je l'accepte.

J'accepte de suivre le chemin de mon propre voyage, je le reçois et je l'accepte.

Répétez cela dans votre tête

Jusqu'à ce que vous entendiez un léger tintement, signe qu'il sera temps de libérer votre mantra

(Music Break)

C'est le moment de libérer le mantra.

Reprenez doucement conscience de votre respiration, inspirez de plus en plus profondément. Expirez de plus en plus lentement. Autorisez-vous à rester calme un peu plus longtemps. Ou ouvrez doucement les yeux si vous êtes prêt. Au long de votre journée, gardez ce mantra à l'esprit. Acceptez tout ce qui vient à vous. **Ouvrez-vous aux aléas de la vie**. Sachez que peu importe ce qui arrive, tout se passera comme il se doit.

Abandonnez-vous, répandez l'amour et acceptez chaque moment. Chaque respiration est un cadeau.

Namasté.

Bonus One Translation

Des objectifs et des attentes - goals and set out expectations

N'est qu'une partie du chemin - is only a part of the journey

C'est ce qui rend le voyage qu'est la vie d'autant plus spécial - is what truly makes the journey of life that much more special

Grandir réside dans la lutte - growth lies in our struggle

Succès et la victoire ne seraient pas aussi doux - success and victory won't be as sweet

Apprenez à vous laisser porter par le courant - Learn to flow with the current

Ne lui résistez pas. Rendez-vous. Faites-lui confiance - Don't resist it. Surrender. Trust the process

A chaque battement - with each beat

Idée surgit, acceptez-la et laissez-la s'en aller - start to rise, simply accept, and then let them go

J'accepte de suivre le chemin de mon propre voyage, je le reçois et je l'accepte. - I surrender to the path of my own journey, I accept and embrace the process.

Ouvrez-vous aux aléas de la vie - opening yourself up to the process of life

Abandonnez-vous, répandez l'amour - surrendern spread love

Bonus 2 - Acceptation

Bienvenue à cette séance de méditation guidée.

Je me réjouis que vous ayez décidé de participer à cette séance de méditation pour acquérir la force intérieure

La séance d'aujourd'hui a pour objectif de vous aider à trouver cette énergie positive qui est en vous et à affronter chaque difficulté, chaque situation difficile ou simplement à commencer la journée plein d'énergie positive et prêt à affronter tout ce que la journée vous réserve

J'estime que chacun d'entre nous **est plus fort que ce qu'il croit vraiment**

La vie est un magnifique voyage qui n'est pas toujours facile, mais je crois vraiment que l'univers, c**ette puissance qui nous entoure**, met parfois des difficultés sur notre chemin pour nous aider à grandir, à nous comprendre plus profondément, et à trouver en nous la force qui fera de nous une personne plus confiante et plus forte.

Vous comme moi avons tous rencontré des **défis dans nos vies, nous avons été blessés, trahis, battus ou découragés**. Mais finalement, nous ne nous sommes pas avoués vaincus.

Vous n'êtes pas une victime, **vous avez peut être été retardé mais pas laissé de côté**.

Cette personne ou cette situation qui vous a blessé est plus faible que vous, parce que vous êtes toujours là.

Alors ne laissez aucune expérience vous affaiblir. Faites en sorte qu'elle vous construise, et vous rende plus fort qu'avant.

Il faut que nous trouvions le positif dans chaque situation. C'est la seule façon de l'emporter.

Quand nous arrêtons d'avoir de la peine pour nous même, nous commençons à nous sentir plus fort. La vie change à chaque seconde et vous le pouvez aussi. Vous pouvez recommencer à zéro quand vous le voulez parce la vie commence toujours maintenant. Pas demain ou après-demain mais maintenant.

Cela étant dit, commençons notre séance.

Installez-vous dans une position confortable et commencez à fermer les yeux et à porter toute votre attention sur votre sur respiration.

Prenez conscience de l'espace entre vos yeux, le chakra du troisième œil

Inspirez profondément par le nez

Expirez lentement. Laissez-vous plonger un peu plus profondément dans votre état méditatif.

Inspirez, expirez

Inspirez profondément

Et expirez, détendez-vous

Prenez conscience des sensations de votre corps

Laissez-vous prendre par cette sensation de relaxation et détendez-vous.

Libérez-vous de toute inquiétude, pensée ou choses à faire

Et consacrez ce temps pour vous-même

Inspirez profondément

Et expirez longuement

Sentez la fraîcheur de l'air quand vous inspirez

Et la chaleur de l’air quittant votre corps quand vous expirez

Inspirez

Expirez

Inspirez

Expirez et libérez-vous de vos peurs

Inspirez

Expirez

Expirer et libérez vous de votre inquiétude pour l’avenir

Inspirez et faites rentrer la force

Expirez

Inspirez et faites rentrer la puissance dans votre âme

Expirez

Inspirez et faites rentrer la confiance dans votre être

Expirez

Vous avez le pouvoir de **créer la vie heureuse et paisible que vous méritez**. Autorisez-vous à l’accepter

Inspirez

Expirez

Allez plus profond à l’intérieur de vous-même. Soyez présent et conscient de vos émotions et de vos pensées, si elles apparaissent, laissez-les s’en aller et revenez à ce moment de pleine conscience.

Inspirez

Détendez-vous, expirez

Avant d'aller plus profondément encore dans votre état de méditation, introduisons la pensée centrale, le mantra, d'aujourd'hui. Rappelez-vous de l'utiliser tout au long de votre méditation pour vous aider à vous concentrer et à vous rappeler ce que vous voulez créer par votre pensée.

Répétez et revenez à ce mantra chaque fois que votre esprit commence à divaguer

La force m'entoure, l'amour me guide et la paix m'enrichit

La force m'entoure, l'amour me guide et la paix m'enrichit

La force m'entoure, l'amour me guide et la paix m'enrichit

Répétez cela dans votre tête.

(Music Break)

Il est temps de libérer le mantra

Commencez à reprendre conscience de votre respiration. Prenez une profonde inspiration et expirez longuement.

Commencez à reprendre conscience de votre corps. Commencez à bouger chaque doigt et chaque orteil, montrez à votre corps qu'il est temps de se réveiller et d'affronter la journée.

Merci d'avoir participé à cette séance de méditation pour la force intérieure

Avant de continuer votre journée, j'aimerais que vous trouviez toujours une raison de sourire

Même quand c'est dur, souriez

Sourire ne signifie pas que vous êtes heureux. Parfois sourire veut simplement dire que vous êtes fort. Et vous l'êtes.

Amour et lumière sur vous, namasté.

Bonus Two Translations

Force Intérieure - Inner Strength

Est plus fort que ce qu'il croit vraiment - is stronger than we really think

Cette puissance qui nous entoure - this power that surrounds us

Défis dans nos vies, nous avons été blessés, trahis, battus ou découragés - challenged, hurt, betrayed, beaten or discouraged

Peut être été retardé mais pas laissé de côté - You may have been delayed but not denied

Créer la vie heureuse et paisible que vous méritez - creating a happy and peaceful life you deserve

La force m'entoure, l'amour me guide et la paix m'enrichit - Strength surrounds me, love guides me, peace fulfills me

If you've enjoyed this book and learnt anything, it would be great if you could leave a short review so that other French learners in the same boat as you can find this book easier!

Merci beaucoup, au revoir!

1111 French Phrases For The Ultimate Study Guide To Increasing Your Vocabulary & Becoming Fluent!

French Hacking

Learn French While You Sleep

Word Groups

Animals

Pets - Les Animaux Domestiques

Dog - le chien
Puppy - le chiot
Cat - le chat
Kitten - le chaton
Goldfish - le poisson rouge
Guinea pig - le cochon d'Inde
Rabbit - le lapin
Mouse - le souris
Parrot - le perroquet
Hamster - le hamster
Horse - le cheval
Snake - le serpent

Farm Animals - Les Animaux De La Ferme

Cow - la vache
Sheep - le mouton
Pig - le cochon
Chicken - le poulet
Goat - la chèvre
Horse - le cheval

Duck - le canard

Zoo Animals - Les Animaux Du Zoo

Lion - le lion
Tiger - le tigre
Elephant - l'éléphant
Zebra - le zèbre
Rhinoceros - le rhinocéros
Hippopotamus - l'hippopotame
Giraffe - la girafe
Penguin- le manchot
Monkey - le singe
Kangaroo - le kangourou

Sea Animals - Les Animaux De La Mer

Shark - le requin
Whale - la baleine
Octopus - la pieuvre
Squid - le calmar
Prawn - la crevette
Lobster - le homard
Crab - le crabe
Seal - le phoque
Turtle - la tortue (marine)
Dolphin - le dauphin
Jellyfish - la méduse
Seahorse - l'hippocampe

Reptiles and amphibians - Les Reptiles Et Les Amphibiens

Snake - le serpent
Crocodile - le crocodile

Alligator - l'alligator
Iguana -l'iguane
Toad - le crapaud
Frog - la grenouille
Tortoise - la tortue (terrestre)
Lizard - le lézard

Small mammals - Les Petits Mammifères

Weasel - la belette
Squirrel - l'écureuil
Koala - le koala
Ferret - le furet
Bat - la chauve-souris
Rat - le rat
Fox - le renard
Hedgehog - le hérisson
Platypus - l'ornithorynque

Birds - Les Oiseaux

Eagle - l'aigle
Raven - le corbeau
Robin - le rouge-gorge
Turkey - le dindon/ la dinde
Dove - la colombe
Ostrich - l'autruche
Peacock - le paon
Penguin - le manchot
Pigeon - le pigeon
Swan - le cygne

Owl - le hibou
Stork - la cigogne

Insects - Les Insectes

Caterpillar - la chenille
Bee - l'abeille
Spider - l'araignée
Ant - la fourmi
Butterfly - le papillon
Moth - le papillon de nuit
Beetle - le scarabée
Centipede - le mille-pattes
Fly - la mouche
Ladybird - la coccinelle
Cockroach - le cafard
Dragonfly - la libellule
Flea - la puce
Mosquito - le moustique
Scorpion - le scorpion

Nuts - les noix

Hazelnut - la noisette
Chestnut - la châtaigne
Brazil nut - la noix du Brésil
Peanut - la cacahouète
Cashew nut - la noix de cajou
Macadamia nut - la noix de macadamia
Almond - l'amande
Walnut - la noix
Pine nut - le pignon de pin

Fruits - Les fruits

Apple - la pomme
Apricot - l'abricot
Pineapple - l'ananas
Avocado - l'avocat
Banana - la banane
Clementine - la clémentine
Blackcurrant - le cassis
Cherry - la cerise
Lemon - le citron
Lime - le citron vert
Date - la datte
Fig - la figue
Strawberry - la fraise
Raspberry - la framboise
Passion fruit - le fruit de la passion
Guava - la goyave
Kiwi - le kiwi
Blackberry - la mûre
Mango - la mangue
Melon - le melon
Blueberry - la myrtille
Coconut - la noix de coco
Orange - l'orange
Grapefruit - le pamplemousse
Papaya - la papaye
Peache - la pêche
Pear - la poire
Apple - la pomme
Plum - la prune

Prune - le pruneau
Grape - le raisin

Vegetables - Les Légumes

Garlic - l'ail
Asparagus - l'asperge
Broccoli - le brocoli
Carrot - la carotte
Celery - le céleri
Mushroom - le champignon
Cabbage - le chou
Cauliflower - le chou-fleur
Pumpkin - la citrouille
Cucumber - le concombre
Spinach - l'épinard
Beans - le haricot
Lentil - la lentille
Corn - le maïs
Onion - l'oignon
Sweet Potato - la patate douce
Pea - le pois
Pepper - le poivron
Potato - la pomme de terre
Radish - le radis

Measurements - Les Mesures

Centimeter - le centimètre
Meter - le mètre
Kilometer - le kilomètre
Liter - le litre

Gram - le gramme
Kilogram - le kilo(gramme)

Colors - Les Couleurs

Black - noir
Blue - bleu
Brown - marron
Green - vert
Grey - gris
Orange - orange
Pink - rose
Purple - violet
Red - rouge
Yellow - jaune
White - blanc
Dark - foncé
Light - clair

Phrases

Part 1

Hi. Salut.

Good morning / hello. Bonjour.

How are you? Comment allez vous?

Well thanks, yourself? Ça va bien, merci. Et vous ?

It's been a while! Ça fait longtemps !

What's your name? Comment vous appelez-vous ?

My name is Adam LeBay. Je m'appelle Adam LeBay.

Where do you come from? D'où venez-vous ?

I come from France. Je viens de France.

It's nice to meet you. Enchanté(e).

I can't speak French. Je ne peux pas parler francais. (In spoken French, 'ne' is very rarely used. So instead we will say 'Je peux pas parler francais'. For the rest of the audio we will continue to leave this out.)

Can you repeat please? Pouvez-vous répéter s'il vous plaît ?

Can you speak more slowly please. Pouvez-vous parler plus lentement?

Sorry, I don’t understand. Desolé(e), je ne comprends pas.

Thanks I understood now. Merci, j'ai compris maintenant.

Just a moment please. Un instant, s'il vous plaît.

Excuse me. Excusez-moi.

Thank you. Merci.

No thank you. Non merci.

You're welcome. De rien.

That's fine/that's ok. D'accord.

Good afternoon. Bonsoir.

Good night. Bonne nuit.

See you tonight. À ce soir.

Good bye/see you. Au revoir.
See you soon. À bientot.

Have a nice day. Bonne journée.

What time is it? Quelle heure est-il?

It’s 1pm. Il est 13h.

It's fine today. Il fait beau.

It's cold today. Il fait froid aujourd'hui.

How have you been recently? Comment ça va en ce moment ?

How have you been? Ca va?

I'm good thank you. Bien, merci.

Not bad I guess. Pas mal, merci.

How about you? Et vous?

I'm not feeling well. Je ne me sens pas bien.

Where are you from? D'où êtes-vous ?

I’m French, I’m from France. Je suis francais. Je viens de France.

What do you do? Que faites-vous ?

I’m an engineer. Je suis ingénieur.

Where do you live? Où habitez-vous?

I live in Paris. J'habite à Paris.

Do you live alone? Vous habitez seul(e) ?

I am married. Je suis marié(e).

I'm single. Je suis célibataire.

How old are you? Quel âge avez-vous?

I'm 30 years old. J'ai 30 ans.

What did you say? Pardon?

Could you please repeat that? Pouvez-vous répéter?

I didn't catch that. Je ne comprends pas.

I don't speak English well. Je ne parle pas bien anglais.

Do you speak French? Parlez-vous francais?

Glad to meet you. Je suis ravi(e) de vous rencontrer.

Thanks for everything. Merci pour tout.

You're welcome. Je vous en prie.

How do you say this word? Comment prononce-t-on ce mot?

I see. Je vois.

Thanks for your help. Merci pour votre aide.

What are you doing? Que faites-vous ?

Why? Pourquoi?

Pay attention! Faites attention !

Are you alright? Ca va?

I'm sorry. Je suis désolé(e).

Thank you very much. Merci beaucoup.

I agree. Je suis d'accord.

No problem. Pas de problème.

Of course / sure. Bien sûr.

That's good. C'est bien.

Do you have brothers and sisters? Vous avez des frères et soeurs?

When were you born? En quelle année êtes-vous né(e)?

I was born in 1993. Je suis né(e) en mille neuf cent quatre vingt treize.

What's your phone number? Quel est votre numéro de téléphone?

I don't think so. Je ne crois pas.

I'd like to ask a favor please. Je voudrais vous demander un service s'il vous plaît.

Is it ok with you? Je peux?

Can I take photos ? Est-ce que je peux prendre des photos?

Can I ask you something? Est-ce que je peux vous demander quelque chose?

Can you help me please? Pouvez-vous m'aider?

I'm jealous of you ! Je t'envie !

That's a shame. C'est dommage.

I'm so glad. Je suis content(e).

That annoys me! Ca m'énerve.

I'm sad. Je suis triste.

I feel lonely. Je me sens seul(e).

I'm sleepy. J'ai sommeil.

Good for you. Tant mieux.

What a surprise. Quelle surprise.

I'm tired. Je suis fatigué(e).

Is there a public phone around here? Y'a t-il une cabine téléphonique par ici ?

Who's calling? Qui est au téléphone ?

I'd like to talk to Mr. Duront please. Je voudrais parler à Monsieur Duront s'il vous plaît.

Hold on a moment please. Un instant s'il vous plaît.

When will he/she be back?. Quand revient-il/elle ?

Please tell her to call me back. Dites-lui de me rappeler s'il vous plaît.

He's on another line at the moment. Il est actuellement au téléphone.

He’s not at his desk at the moment. Il est absent pour le moment.

I'll call him back later. Je le rappellerai plus tard.

I lost my passport. J'ai perdu mon passeport.

My baggage is missing. Je ne trouve pas ma valise.

Part 2

I lost my wallet. J'ai perdu mon porte-monnaie.

I lost my credit card. J'ai perdu ma carte de crédit.

I'm lost. Je suis perdu(e).

The hot water isn't running. Il n'y a pas d'eau chaude.

I feel a little unwell. Je me sens un peu mal.

I have a headache. J'ai mal à la tête.

Please send an ambulance! Appelez une ambulance s'il vous plaît!

Could you take me to the hospital? Pourriez-vous m'emmener à l'hôpital?

How much is this? Combien ça coûte ?

It's too expensive! C'est trop cher !

Can I pay with a credit card? Je peux payer avec une carte bleue ?

I'll pay in cash. Je paye en espèces.

Can I try it on? Est-ce que je peux essayer ça?

Do you have any different colors? Est-ce que vous avez d'autres couleurs?

It's too big! C'est trop grand.

It's too small. C'est trop petit.

Do you have a bigger one ? En avez-vous un plus grand?

You do not have a smaller one? Vous n'en avez pas un plus petit?

I'd like to return this. Je voudrais être remboursé(e) pour ceci.

Excuse me I'd like to pass. Excusez-moi je voudrais passer.

Should we take a little break? On se repose un peu?

I'm hungry. J'ai faim.

I'm thirsty. J'ai soif.

What do you want to eat? Qu'est-ce que vous voulez manger?

How many are there? Pour combien de personnes?

Do you have a menu in English? Est-ce que vous avez un menu en anglais?

The menu please. La carte, s'il vous plaît.

What type of deserts do you have? Quels genres de desserts proposez-vous?

Are you ready to order? Vous-avez choisi?

I'll have this one. Je vais prendre ceci.

Can I have some water please ? Puis-je avoir de l'eau s'il vous plaît ?

I'll have this wine please? Puis-je avoir ce vin s'il vous plaît?

I'll have two coffees please. Deux cafés, s'il vous plaît.

Where are the bathrooms? Où sont les toilettes?

What is your recommended food? Qu'est-ce que vous me conseillez?

It looks very good. Ça a l'air très bon.

It smells good. Ça sent bon.

How is everything? Tout se passe bien?

Is it good? C'est bon?

It tastes good. C'est bon.

It's yummy. C'est délicieux.

It's not delicious. C'est pas bon.

I'm full. Je n'ai plus faim.

Check please. L'addition s'il vous plaît.

Can I have the receipt please? Puis-je avoir un reçu?

Where's the taxi stand? Ou est la station de taxis?

Can you call me a taxi please ? Pourriez-vous m'appeler un taxi s'il vous plaît ?

How much does it cost to go to Garibaldi road? Combien cela coûte-t-il d'aller Rue de Garibaldi?

Take me to this address please. Amenez-moi à cette adresse, s'il vous plaît.

To the Eiffel tower please. À la tour Eiffel, s'il vous plaît.

You can stop here. Vous pouvez vous arrêter ici.

I'd like to book a room. J'aimerais réserver une chambre.

I'd like to check in. Je voudrais faire le check-in..

Room service please. Service de chambre, s'il vous plaît.

I'd like to exchange my money. Je voudrais échanger mon argent.

Is there internet access here? Est-ce qu'il y a un accès internet ici ?

The toilet won't flush. La chasse d'eau ne marche pas.

I'd like to check out. Je voudrais faire le check-out s'il vous plaît.

Don't worry. Ne t'inquiète pas !

We're so proud of you. Nous sommes si fiers de toi.

Yes I suppose so. Oui, je suppose.

He's just a child. C’est juste un enfant.

It's near here. C'est près d'ici.

I decline! Je refuse!

I'll check it out. Je vérifierai.

That's all I need. C'est tout ce dont j'ai besoin.

I don't mean it. Je ne le pense pas.

Hold on. Attendez.

Where would you like to go tonight ? Où aimeriez-vous aller ce soir?

Can you help me? Peux-tu m'aider?

Why not? Pourquoi pas?

I love you. Je t'aime.

I like you very much. Je t’aime beaucoup.

I'll see to it. Je vais voir ça.

Here you are. Vous voilà.

You are going to go there? Vous allez y aller ?

I am close to McDonalds. Je suis près de Chez MacDo.

Thanks for your time. Bye !! Merci de m’avoir accordé du temps. Au revoir!

Be careful! Faites attention!

Did you have a good time? Avez-vous passé un bon moment?

I can do it. Je peux le faire.

I will treat you. Je vais vous inviter.

It's impossible. C'est impossible.

May I use your pen? Puis-je utiliser votre stylo?

Good luck! Bonne chance!

How much is this? Combien cela coûte?

I'm waiting for my friends. J'attends mes amis.

Not for me. Pas pour moi.

Where can we eat? Où pouvons-nous manger?

Where are the bathrooms. Où sont les toilettes?

How have you spent the holidays? Qu’as-tu fait pendant les vacances?

I'll be late. Je vais être en retard.

You're always right. Vous avez toujours raison.

It doesn't matter. Cela n'a pas d'importance.

Can I do that? Puis-je faire ça?

It's going too far. Ca va trop loin.

He's a smart boy. C'est un garçon intelligent.

That's interesting. C'est intéressant.

Your French is incredible. Votre français est incroyable.

Don't hog the bathroom. Ne monopolisez pas la salle de bain.

Part 3

How long are you staying? Combien de temps restez-vous?

He's ready. Il est prêt.

What do you want to do? Que voulez-vous faire?

As soon as possible. Dès que possible!

What's the plan for today? Quel est le plan pour aujourd'hui?

It's a really nice place. C'est vraiment un endroit agréable.

You can make it! Vous pouvez le faire!

What do you recommend? Qu'est-ce que vous recommandez?

As soon as possible. Dès que possible.

Keep in touch. On reste en contact.

What do you think ? Qu'est-ce que vous en pensez?

It's for you. C'est pour vous.

I have no idea. Je n'en ai aucune idée.

I have to get out of here. Je dois sortir d'ici.

If only I could fly. Si seulement je pouvais voler.

I agree. Je suis d'accord.

I don't like… Je n'aime pas..

Come with me. Viens avec moi.

I have a good idea! J'ai une bonne idée!

Feel better? Tu te sens mieux?

Absolutely not. Absolument pas.

He is my age. Il a mon age.

Don't lose your head. Ne perdez pas la tête.

What did you do last night? Qu'avez-vous fait la nuit dernière?

What's he talking about ? De quoi il parle ?

I got it. J'ai compris.

She had a bad cold. Elle a eu un gros rhume.

Do you mean it? Vous le pensez vraiment?

I'll try my best. Je vais faire de mon mieux.

How are you? Comment vas-tu ?

Show me. Montre moi.

I am wasting my time. Je perds mon temps.

I want to go to ... Je veux aller à ...

Try again. Réessaye.

How did you sleep? Avez-vous bien dormi?

Clothes make the man. L'habit fait le moine.

I think so. Je le pense.

What is it? C'est quoi?

I see. Je vois.

Your French is really surprising. Votre français est vraiment surprenant.

I'll let you know. Je vous tiens au courant.

It seems all right. Cela semble bien.

It's not difficult. Ce n'est pas difficile.

We're good friends. Nous sommes de bons amis.

We will speak later. Nous parlerons plus tard.

How are things at school? Comment ça va à l'école?

What's up buddy ? Quoi de neuf mon pote?

Time is up. Le temps est écoulé.

You have a good taste. Tu as bon goût.

He wants to go there. Il veut y aller.

I've already said that. Je l'ai déjà dit.

Is it serious? C'est grave?

I like icecream. J'aime les glaces.

Do I have messages? Est-ce que j'ai des messages?

No pain no gain. On n'a rien sans rien.

You're wrong. Vous vous trompez.

You need to work out. Vous devez vous entraîner.

I can't help it. Je ne peux pas m'en empêcher.

I'm bored. Je m'ennuie.

That's right. C'est vrai.

Well it depends. Et bien ça dépend.

Get outta there. Sortez de là.

Is that all? C'est tout?

Let me see. Laisse-moi voir.

No one knows. Personne ne sait.

Don't move! Ne bouge pas!

I have arrived. Je suis arrivé(e).

It's up to you. Ca dépend de toi.

He won an election. Il a gagné une élection.

What's your problem ? Quel est votre problème?

I'll see you at six. Je vous verrai à six heures.

Not at all. Pas du tout.

It's not bad. Ce n'est pas mauvais.

It's nothing. Ce n'est rien.

I need to get back in shape. J'ai besoin de me remettre en forme.

Are you hungry? Avez-vous faim?

You're lying! Tu mens !

I'm fine. Je vais bien.

Has the boss come in yet? Le patron est-il déjà arrivé ?

Are you doing anything tonight? Fais-tu quelque chose ce soir?

What do I owe you? Combien je vous dois?

What's new? Quoi de neuf?

Believe me. Crois-moi.

Your company is very impressive. Votre entreprise est très impressionnante.

I can't believe it. Je ne peux pas le croire.

Don't count on me. Ne compte pas sur moi.

Don't hog the shower. Ne monopolisez pas la douche.

Not bad. Pas mal.

Take care! Prends soin de toi !

It's a long story. C'est une longue histoire.

Shut up. Tais-toi.

I've gotta catch the bus. Je dois attraper le bus.

What's your name? Comment vous appelez-vous ?

Can you say it again ? Pourriez-vous répéter?

Fasten your seatbelt. Attachez votre ceinture de sécurité.

Any day will do. N'importe quel jour fera l'affaire.

Do you speak english? Parlez-vous anglais?

Where do you want dinner? Où voulez-vous dîner?

It's not worth it. Ca ne vaut pas le coup.

Control yourself. Contrôle-toi.

Part 4

You asked for it. Vous l'avez demandé.

Since when? Depuis quand!?

Cheer up! Courage!

You surprise me. Tu me surprends..

I'm on your side. Je suis de ton côté.

Do you want something? Voulez-vous quelque chose ?

It's very nice. C'est très gentil.

So long. Si longtemps.

Be my guest. Sois mon invité(e).

It's obvious. C'est évident.

I love this game. J'adore ce jeu.

Open your book please. Ouvrez-votre livre s'il vous plaît.

Go away. Va-t'en.

It's not a big deal. Ca n'est pas grave.

He can hardly speak. Il peut à peine parler.

Give me a hand. Donnez-moi un coup de main.

Come with me. Viens avec moi.

Is it yours? Est-ce le vôtre?

Count me in. Comptez sur moi.

It's not like that. Ce n'est pas comme ça.

You did right. Vous avez bien fait.

Keep it up. Continue !

What's happening? Qu'est-ce qui se passe?

You have my word. Vous avez ma parole.

Your son is so cute. Ton fils est si mignon.

I promise. Je promets.

Who's driving. Qui conduit?

Go right ahead. Allez-y.

I don't have time. Je n'ai pas le temps.

This boy has no job. Ce garçon n'a pas de travail.

I don't like it. Je n'aime pas ça.

You're looking sharp. Vous avez l'air vif.

Allow me. Permettez moi.

Any messages for me? Des message pour moi?

Do you see it? Est-ce que vous le voyez?

Not yet. Pas encore.

Where do we meet ? Où on se retrouve?

I don't know. Je ne sais pas.

Follow me. Suivez-moi.

Wait for us there. Attendez-nous là.

It's your turn. C'est votre tour.

Anything else? Rien d'autre?

What day is it today? Quel jour sommes-nous?

What day of the month is it today? Quelle date sommes-nous aujourd'hui?

I'm full. I can't eat any more. Je suis plein(e). Je ne peux plus manger.

Should I go this way, or that way? Dois-je aller par là, ou par là-bas?

Go down this street. Then turn left. Descendez cette rue. Puis tournez à gauche.

It's wonderful. I like it very much. C'est merveilleux. J'aime beaucoup.

Don't make so much noise. I'm working. Ne faites pas tant de bruit. Je travaille.

How many people in your family? Combien y-a t-il de personnes dans ta famille?

What would you like to eat? Qu'aimeriez-vous manger?

See you later. Stay in touch. À plus tard. On reste en contact.

Your right hand is swollen. Does it hurt? Votre main droite est enflée. Est-ce que ça fait mal?

Would you please pass the salt? Pouvez-vous me passer le sel, s'il vous plaît?

It's about 80 degrees Fahrenheit this afternoon. Il fait environ quatre-vingts degrés Fahrenheit cet après-midi.

The doctor's words made him feel comfortable. Les mots du docteur l'ont fait se sentir à l'aise.

That's the stupidest thing I've ever heard. C'est la chose la plus stupide que j'aie jamais entendue.

What's the quickest way to get there? Quel est le moyen le plus rapide d'y arriver?

The restaurant doesn't open until seven forty-five. Le restaurant n'ouvre qu'à sept heures quarante-cinq.

You live here in the city don't you? Vous vivez ici dans la ville, n'est-ce pas?

I was born on December first, nineteen 45. Je suis né le premier décembre mille neuf cent quarante cinq.

How far is the university? A quelle distance se trouve l'université ?

Is there a bus for the airport? Y-a-t'il a un bus pour l'aéroport?

This square table weighs about 60 kilos. Cette table carrée pèse environ soixante kilos.

What do you think you're doing? Que crois-tu faire?

What's your brother planning on doing tomorrow? Qu'est-ce que ton frère a l'intention de faire demain?

I don't believe a word you say. Je ne peux pas croire un mot de ce que vous dites.

How long did the movie last? Combien de temps a duré le film?

After eating lunch I need to do my homework. Après avoir déjeuné je dois faire mes devoirs.

What will the weather be like tomorrow? Quelle sera la météo demain ?

Do you know any of those people? Connaissez-vous l'une de ces personnes?

I'm probably going to stay home and watch T.V. Je vais probablement rester à la maison et regarder la télévision.

What do you think of my children? Que penses-tu de mes enfants?

Who do you think you're talking to? À qui penses-tu que tu parles?

See you again in the near future. On se revoit dans un futur proche.

I beg your pardon, is this seat taken? Je vous demande pardon, est-ce que cette place est occupée?

Which direction is to the cinema? Dans quelle direction est le cinéma?

Do you know what time it is? Savez-vous quelle heure il est?

Someone's knocking at the door, I'll answer it. Quelqu'un frappe à la porte. Je vais aller voir.

Excuse me Miss, can you give me some information please. Excusez-moi madame, pouvez-vous me donner des informations s'il vous plaît.

My friend can read and write several languages. Mon ami peut lire et écrire plusieurs langues.

I wish I had never met you. J'aimerais ne t'avoir jamais rencontré(e).

Do you have pens? I need some here. Avez-vous des stylos? J'en ai besoin ici.

What kind of breakfast did you have? Quel genre de petit déjeuner avez-vous pris ?

We enjoyed driving along the new expressway. Nous avons apprécié conduire sur la nouvelle autoroute.

He was absent yesterday, do you know why? Il était absent hier. Est-ce que tu sais pourquoi?

Please make an appointment with my secretary. S'il vous plaît prenez un rendez-vous avec ma secrétaire.

Growth however brings new problems and concerns. Grandir cependant apporte de nouveaux problèmes et préoccupations.

We need more than listening. We need action. Nouse avons besoin plus que de l'écoute. Nous avons besoin d'action.

The doctor examined the soldier's wound carefully. Le docteur examina soigneusement la plaie du soldat.

What kinds of fruits do you have? Quels types de fruits avez-vous?

Whichever you choose, you won't be satisfied. Quel que soit votre choix, vous ne serez pas satisfait.

She intends to make teaching her profession. Elle a l'intention de faire enseigner sa profession.

The people of Lyon are very friendly. Les gens de Lyon sont très sympathiques.

Are you used to the food here? Êtes-vous habitué(e) à la nourriture ici?

I'm telling you for the last time. Je te le dis pour la dernière fois.

Yes I'd like to buy a book. Oui, j'aimerais acheter un livre.

How do you spell your last name? Comment écrivez-vous votre nom de famille?

Would you tell Mr, Browne that I called? Voulez-vous dire à M. Browne que j'ai appelé?

You're just a good for nothing bum. Tu es juste un bon à rien.

Part 5

By the way, who are you waiting for? Au fait, qui attendez-vous?

Would you consider going south this spring? Que penses-tu d'aller dans le sud ce printemps?

Is he the short man on the right? Est-ce le petit homme sur la droite ?

What do you know about the eighteenth century? Que savez-vous du dix-huitième siècle?

He bothered me with too many questions. Il m'a ennuyé(e) avec trop de questions.

It is said it will clear up tonight. Il est dit que ça va s'éclaircir ce soir.

He runs everyday in order to lose weight. Il court tous les jours afin de perdre du poids.

Take a seat please, make yourself at home. Asseyez-vous s'il vous plaît, faites comme chez vous.

I hope you enjoy your stay with us. J'espère que vous appréciez votre séjour avec nous.

I didn't see Maia but I saw Mary. Je n'ai pas vu Maia mais j'ai vu Mary.

Could you come back home early this evening? Pourriez-vous revenir à la maison tôt ce soir?

I'll probably have eggs and toast for breakfast. Je vais probablement manger des oeufs et des toasts pour le petit déjeuner.

Which one is the longest river in Egypt? Quel est le plus long fleuve d'Egypte?

We're all taking medicine against the disease. Nous prenons tous des médicaments contre la maladie.

What do you plan to do tomorrow? Que prévoyez-vous de faire demain?

It says a storm may come next month. Il dit qu'une tempête pourrait survenir le mois prochain.

I graduated from Harvard University 3 years ago. J'ai été diplômé(e) de l'université d'Harvard il y a 3 ans.

I'd rather sleep than watch this movie. Je préférerais dormir que de regarder ce film.

My sister woke up earlier than I did. Ma soeur s'est réveillée plus tôt que moi.

This jokes gone too far. Cette blague est allée trop loin.

My daughter wants to get married in November. Ma fille veut se marier en novembre.

“Fashion” is a very popular magazine in America. “Fashion” est un magazine très populaire en Amérique.

What do you dislike most about this book? Qu'est-ce qui vous déplaît le plus dans ce livre?

If you have more, please give me some. Si vous en avez plus, donnez-moi en s'il vous plaît.

Will you pick me up at my place? Voulez-vous venir me chercher chez moi?

Chris doesn't go out even in the winter. Chris ne sort pas, même en hiver.

She's a doctor. She has her own practice. C'est une docteure. Elle a sa propre pratique.

I get up before five o'clock every day. Je me lève avant cinq heures tous les jours.

I was introduced to her last month. On me l'a présentée le mois dernier.

You had already gone when I arrived there. Tu étais déjà parti(e) quand je suis arrivé(e) là-bas.

I usually go to bed at about midnight. Je vais habituellement me coucher vers minuit.

After brushing my teeth, I put on my clothes. Après m'être brossé les dents, je mets mes vêtements.

How are you going? Are you going by car? Comment y allez-vous? Y allez-vous en voiture?

I finished working at 4 and went home. J'ai fini de travailler à 16 heures et je suis rentré chez moi.

They stared at the huge lion with awe. Ils ont regardé l'énorme lion avec crainte.

I grew up right here in the neighbourhood. J'ai grandi ici dans ce quartier.

She addressed the audience in an eloquent speech. Elle s'est adressé à l'auditoire avec un discours éloquent.

We should make good use of our time. Nous devrions faire bon usage de notre temps.

Geographically, India is located in the Northern Hemisphere. Géographiquement, l'Inde est située dans l'hémisphère Nord.

I'm applying to work at the library. Je postule pour travailler à la bibliothèque.

What will you have for dinner tomorrow night? Que mangerez-vous pour le dîner demain ?

I'm going skating in the Alps next week. Je vais patiner dans les Alpes la semaine prochaine.

He added some wood to increase the fire. Il a ajouté du bois pour attiser le feu.

I never want to see your face again. Je ne veux plus jamais revoir ton visage.

I just heard from my brother, Gabriel. Je viens d’avoir des nouvelles de mon frère, Gabriel.

He's a member of the ski club. Il est membre du club de ski.

Believe me, the game is really worth playing. Croyez-moi, le jeu en vaut la chandelle..

Would you help me with this heavy box? Voulez-vous m'aider à porter cette boîte lourde?

My brother has been engaged for two months. Mon frère a été fiancé pendant deux mois.

My weight is too much for my height. Mon poids est trop élevé pour ma taille.

The doctor began to operate on the girl. Le docteur a commencé à opérer la fille.

Do you have any plans for your career? Avez-vous un plan pour votre carrière?

I took a bath in the bathroom. Je prends un bain dans la salle de bain.

Elyce talks likes she's the boss. Elyce parle comme si elle était la chef.

Sorry, it's broken. You have to use the stairs. Désolé(e), c'est hors-service.. Vous devez utiliser les escaliers.

Can you tell me the correct time? Pouvez-vous me dire le moment propice?

I pick up my sister from her school. Je passe prendre ma soeur à son école.

What's the typical farm product in this region. Quel est le produit agricole typique de cette région ?

.

You're welcome to stay with us next time. Vous êtes les bienvenus chez nous la prochaine fois.

Have you cleared your luggage with customs? Etes vous passé(e) par les douanes avec vos bagages ?

How many years have you been playing tennis? Depuis combien d'années jouez-vous au ping pong?

I wish I'd told her the truth. J'aurais voulu lui dire la vérité.

What were you doing this time last year? Que faisiez-vous à cette période l'année dernière?

His voice echoed in the big empty hall. Sa voix résonna dans le grand hall vide.

How much is the rent for a month? Combien coûte le loyer par mois?

I've forgotten what he said his address was. J'ai oublié ce qu’il m’avait dit concernant son adresse personnelle.

Would you mind mailing this letter for me? Cela vous dérange d'envoyer cette lettre pour moi?

I brush my teeth and comb my hair. Je me brosse les dents et me coiffe.

It's not as easy as you think. Ce n'est pas aussi facile que vous le pensez.

I leave the house at seven a.m. each day. Je quitte la maison à sept heures chaque jour.

They celebrated her birthday with a dance party. Ils ont fêté son anniversaire avec une soirée dansante.

We've known each other for 9 years. Nous nous connaissons depuis 9 ans.

My grandpa is 60 years older than me. Mon grand-père a 60 ans de plus que moi.

They were happy the exams were over. Ils étaient contents que les examens soient terminés.

You really have an ear for rap music. Vous avez vraiment l'oreille pour le rap.

She always forgets to wash behind her ears. Elle oublie toujours de se laver derrière les oreilles.

I don't know how to express my gratitude. Je ne sais pas comment exprimer ma gratitude.

The whole class is in a heated discussion. Toute la classe est prise dans un débat animé.

This is a rather old house. It needs painting. C'est plutôt une vieille maison. Elle a besoin d'être repeinte.

I don't know what her native language is. Je ne sais pas quelle est sa langue maternelle.

Social customs vary considerably from one country to another. Les coutumes sociales varient considérablement d'un pays à l'autre.

My sister gets up later than I do. Ma soeur se lève plus tard que moi.

I buy some food on the way home. J'achète de la nourriture en rentrant chez moi.

I would like to pick up seashells this afternoon. J'aimerais ramasser des coquillages cet après-midi.

Katie and Celine are talking on the phone. Katie et Céline parlent au téléphone.

Would you please open the door for me? Voulez-vous s'il vous plaît ouvrir la porte pour moi?

Do you want to get changed before the banquet? Voulez-vous vous changer avant le banquet?

I'm afraid that I have to go. J'ai peur de devoir partir.

Can you finish your work ahead of time. Pouvez-vous terminer votre travail à l'avance?

They plan to immigrate to Netherland next month. Ils prévoient d'immigrer aux Pays-Bas le mois prochain.

Many people have been out of work recently. Beaucoup de gens ont été sans emploi récemment.

I plan to weed the yard today. J'ai l'intention de désherber la cour aujourd'hui.

I was sick yesterday, but I'm better today. J'étais malade hier, mais je me sens mieux aujourd'hui.

What time do you get up everyday? À quelle heure vous levez-vous tous les jours?

Well done, you're always doing a good job. Bien joué. Tu fais toujours du bon travail.

Please summarize what you just said now. Veuillez résumer ce que vous venez de dire.

All of those guys are my friends. Tous ces mecs sont mes amis.

Would you mind closing the window for me. Pourrais-tu fermer la fenêtre pour moi?

The letter 'x' stands for an unknown number. La lettre 'x' represente un nombre inconnu.

His words are strongly impressed on my memory. Ses mots sont fortement imprimés dans ma mémoire.

Part 6

This area is noted for its rich soil. Cette zone est connue pour son sol fertile.

Do you plan to do some odd jobs? Avez-vous l'intention de faire des petits boulots?

You may pick whichever one you like best. Vous pouvez choisir celui que vous préférez.

I saw him playing football on the playground. Je l'ai vu jouer au football sur le terrain de jeu.

What do you plan doing this Sunday? Que prévoyez-vous de faire ce dimanche?

The doctor advised me to give up smoking. Le docteur m'a conseillé d'arrêter de fumer.

When you called me I was eating dinner. Quand tu m'as appelé(e), je dinais.

They'd expected me to go with them. Ils s'attendaient à ce que je les accompagne.

Can I pay by check or credit card? Puis-je payer par chèque ou par carte de crédit?

I learnt that I had passed the test. J'ai appris que j'avais passé le test.

Were there letters for me this morning? Y avait-il des lettres pour moi ce matin?

Do you have change for a fifty dollar bill? Avez-vous de la monnaie sur un billet de cinquante dollars?

What's wrong with you? What's the matter, is anything wrong? Qu'est-ce qui ne va pas? Quel est le problème? Y a-t-il quelque chose qui ne va pas?

To tell the truth, I don't like music. Pour dire la vérité, je n'aime pas la musique.

I'm anxious to know what your decision is. Je suis impatient de savoir quelle est votre décision.

What did you do the month before last? Qu'avez-vous fait le mois dernier?

He is a manager of a famous corporation. Il est gérant d'une société célèbre.

Julietta gave birth to a baby last month. Julietta a donné naissance à un bébé la semaine dernière.

There's lots of huge buildings in New York. Il y a beaucoup de bâtiments énormes à New York.

You'll save time not waiting for the elevator. Vous gagnerez du temps sans attendre l'ascenseur.

I go to school by bike every day. Je vais à l'école à vélo tous les jours.

You better put on your jacket. It's cold outside. Tu ferais mieux de mettre ta veste. Il fait froid dehors.

I consider you as one of my friends. Je te considère comme l'un de mes amis.

An old lady rented the big white house. Une vieille dame a loué la grande maison blanche.

Please give my best regards to your family. Passez mes salutations à votre famille s'il vous plaît.

I had breakfast with a friend of mine. J'ai petit déjeuné avec un de mes amis.

She exercise every morning. Elle fait des exercices chaque matin..

Were there any exciting incidents during your journey? Y a-t-il eu des mésaventures passionnantes pendant votre voyage?

I was in the hospital for several months. J'étais à l'hôpital pendant plusieurs mois.

I won't be able to see her today. Je ne serai pas capable de le voir aujourd'hui.

He had to choose between death and dishonor. Il a du choisir entre la mort et le déshonneur.

I have to catch a plane, can you hurry? Je dois prendre l'avion, pouvez-vous vous dépêcher?

Did you used to go fishing with friends? Aviez-vous l'habitude d'aller pêcher avec des amis?

The grass is moist early in the morning. L'herbe est humide tôt le matin.

It's the hottest day I've had so far. C'est le jour le plus chaud que j'aie eu jusqu'ici.

It's odd that they didn't reply to our letter. C'est étrange qu'ils n'aient pas répondu à notre lettre.

He was married to a friend of mine. Il était marié à une de mes amies.

Don't give me your excuses. No more excuses. Ne me donne pas d'excuses. Plus d'excuses.

They stopped talking when their boss came in. Ils ont arrêté de parler quand leur patron est entré.

She sang perfectly in the hall last night. Elle a chanté parfaitement dans la salle hier soir.

I have a cat and it's very calm. J'ai un chat et il est très calme.

Can you make me a cup of coffee? Pouvez-vous me faire une tasse de café?

Manuel is writing his thesis. Manuel écrit sa thèse.

Could you drop me off at the airport? Pourriez-vous me déposer à l'aéroport?

Unlike her friends, she never gave up hope. Contrairement à ses amis, elle n'a jamais perdu espoir.

Take three pills and have a good rest. Prenez trois pilules et reposez-vous bien.

How about Aude? How long has she lived there? Et Aude? Combien de temps a-t-elle vécu ici ?

Our school is in the west of India. Notre école est à l'ouest de l'Inde.

The police aren't allowed to accept rewards. La police n'est pas autorisée à accepter des récompenses.

When is the most convenient time for you? Quand est le meilleur moment pour vous?

You'll get used to the work soon. Vous allez bientôt vous habituer au travail.

What's the colour of your new book? Quelle est la couleur de ton nouveau livre?

I'm so hungry, can I have a bite? J'ai tellement faim, puis-je avoir un morceau?

What do you think of my new boat? Que pensez-vous de mon nouveau bateau?

I have received a letter from my mother. J'ai reçu une lettre de ma mère.

They've been married for quite a few years. Ils ont été mariés pendant quelques années.

Are you looking for a permanent position? Recherchez-vous un poste permanent?

The robe doesn't fit her, she's too thin. La robe ne lui va pas. Elle est trop mince.

Can I have a look at the watch? Puis-je voir la montre?

You should have a mind of your own. Vous devriez prendre vos propres décisions.

How can I get in touch with you? Comment puis-je entrer en contact avec vous?

Can you tell me where Garibaldi road is? Pouvez-vous me dire où se trouve la rue de Garibaldi?

The ice is hard enough to skate on. La glace est assez dure pour patiner.

We can't go out because of the rain. Nous ne pouvons pas sortir à cause de la pluie.

He was appointed president of the committee recently. Il a été nommé président du comité récemment.

She goes to work every day except Monday. Ella va au travail tous les jours sauf le lundi.

But who'll do all the housework? Mais qui fera toutes les tâches ménagères ?

Excuse me, have you got the time please? Excusez-moi, avez-vous l'heure s'il vous plaît?

That house is for sale. It has central heating. Cette maison est à vendre. Elle a le chauffage central.

The book you ask for is sold out. Le livre que vous demandez est épuisé.

I can give you a number of excuses. Je peux vous donner un certain nombre d'excuses.

You may as well tell me the truth. Vous feriez bien de me dire la vérité.

How do I control myself? I can't calm down. Comment me contrôler? Je ne peux pas me calmer.

He hired a workman to repair the fence. Il a engagé un ouvrier pour réparer la clôture.

Sorry but I've gotta go now. Désolé(e) mais je dois y aller maintenant.

I don't know if I'll have the patience. Je ne sais pas si j'aurai la patience.

Let me introduce my friend to you. Laisse-moi te presenter mon ami.

It's very kind for you to help me. C'est très gentil de votre part de m'aider.

Do you think it's going to rain tomorrow? Pensez-vous qu'il va pleuvoir demain?

But last year we had a big one. Mais l'année dernière nous en avons eu un gros.

It may get colder, it's already November. Il pourrait faire plus froid, nous sommes déjà en Novembre.

I'm looking for a gift for my friend. Je cherche un cadeau pour mon ami.

Go that way for two block then turn left. Empruntez ce chemin puis après les deux pâtés de maison, tournez à gauche.

Manners are quite different from country to country. Les manières sont très différentes d'un pays à l'autre.

When she leaves, he'll cry for a day. Quand elle partira, il pleurera pendant une journée.

Would you like to go for a walk? Aimeriez-vous faire une promenade?

I don't doubt that he will help me. Je ne doute pas qu'il m'aidera.

He spent most of his life gathering money. Il a passé la plus grande partie de sa vie à amasser de l'argent.

Will you be here at 11 o'clock tomorrow? Serez-vous ici à onze heures demain?

Let me see, she has 20 minutes Wednesday afternoon. Laisse-moi voir, elle a 20 minutes mercredi après-midi.

Which would you rather, steak or fish? Lequel préférez-vous, steak ou poisson?

The doctor says that I should take some rest. Le docteur dit que je devrais prendre du repos.

He lived in Hollywood until he was eighteen. Il a vécu à Hollywood jusqu'à l'âge de dix-huit ans.

I am told that you dance wonderfully well. On me dit que vous dansez merveilleusement bien.

Naomi is the strongest girl in the class. Naomi est la fille la plus forte de la classe.

Do you know where I put my sunglasses? Sais-tu où j'ai mis mes lunettes de soleil?

There are many training classes and night classes. Il y a beaucoup de cours de formation et de cours du soir.

This is a good example of her poetry. C'est un bon exemple de sa poésie.

I'm looking forward to your early reply. J’attends impatiemment votre réponse.

Open your book and turn to page 20. Ouvrez vos livres et passez à la page 20.

Part 7

He sat with his arms across the chest. Il s'est assis en croisant les bras sur sa poitrine.

I'm always making resolutions, like giving up smoking. Je prends toujours des résolutions, comme arrêter de fumer.

This country is famous for its beautiful lakes. Ce pays est célèbre pour ses magnifiques lacs.

I'd like to cash a traveler's check please. Je voudrais encaisser un chèque de voyage s'il vous plaît.

I want to be a journalist after graduation. Je veux être journaliste après l'obtention de mon diplôme.

Are you ready for your dessert now? Etes-vous prêt pour votre dessert maintenant?

We're planning a tour to Rome this summer. Nous prévoyons un tour à Rome cet été.

I'd like to make an appointment with Mrs. Browne. J'aimerais prendre rendez-vous avec Mme Browne.

Lumbering is very important in some underdeveloped countries. L'exploitation forestière est très importante dans certains pays sous-développés.

It was your turn to wash them yesterday. C'était à ton tour de les laver hier.

My sister wants to learn how to dance. Ma soeur veut apprendre à danser.

I used to get dressed quickly every morning. J’avais l’habitude de m’habiller rapidement tous les matins.

She was afraid the dog would bite. Elle avait peur que le chien morde.

Take the north road, it's the shortest way. Prenez la route du nord, c'est le chemin le plus court.

Don't forget to put stamps on your letter. N'oubliez pas de mettre des timbres sur votre lettre.

We're prohibited from smoking on school grounds. Il est interdit de fumer sur les terrains de l'école.

I have a lot of trouble with pronunciation. J'ai beaucoup de problèmes avec la prononciation.

She sent me a Christmas card last year. Elle m'a envoyé une carte de Noel l'année dernière.

I'll call a taxi in case of need. J'appellerai un taxi en cas de besoin.

She's read every book on the shelves. Elle a lu tous les livres des étagères.

According to Mr. Gall, this is a complicated problem. Selon M. Gall, c'est un problème compliqué.

We are all in favor of this plan. Nous sommes tous partants pour ce plan.

I'm not going to put up with this. Je ne vais pas supporter ca.

After breakfast I'll get ready to go to work. Après le petit déjeuner, je me préparerai pour aller travailler.

Listening with your heart is good for you. Écouter avec ton coeur est bon pour toi.

I want to be a pilot if possible. Je veux être un pilote si c’est possible.

Please ask Yan to turn on the lights. S'il vous plaît demandez à Yan d'allumer les lumières.

I went to see a friend of mine. Je suis allé voir un de mes amis.

I'm sick of always waiting for you. J'en ai marre de toujours t’attendre.

If you have time, will you call me tomorrow? Si tu as le temps pourras-tu m’appeler demain?

All I have to do is learn French. Tout ce que j'ai à faire est apprendre le français.

The brain needs a continuous supply of blood. Le cerveau a besoin d'un apport continu de sang.

Could you direct me to the station please? Pourriez-vous me diriger vers la station s'il vous plaît?

His friend was injured in an airplane crash. Son ami a été blessé dans un accident d'avion.

How long do you watch TV every day? Combien de temps regardez-vous la télévision chaque jour?

Excuse me, could you tell me the time? Excusez-moi, pourriez-vous me dire l'heure ?

You should take advice from you dad. Vous devriez demander conseil à votre père.

You've been working all morning. You deserve a rest. Vous avez travaillé toute la matinée. Vous méritez du repos.

His cake is two times bigger than mine! Son gâteau est deux fois plus gros que le mien.

I'm not accustomed to going out after dark. Je n'ai pas l'habitude de sortir après la tombée de la nuit.

Adam has always had a crush on Clara. Adam a toujours eu le béguin pour Clara.

He dare not tell us his evil conduct. Il n'ose pas nous parler de sa mauvaise conduite.

I bought it the day it was released. Je l'ai acheté le jour ou il est sorti.

I'm not sure what time I'm coming back. Je ne sais pas à quelle heure je reviens.

I didn't mean to kill it ! Je ne voulais pas le tuer!

Your friend was here a few months ago wasn't he? Ton ami était ici il y a quelques mois n'est-ce pas?

They ended the party off with a song. Ils ont terminé la fête avec une chanson.

What time did you get up yesterday morning? À quelle heure vous êtes-vous levé(e) hier matin?

The city was alive when he arrived. La ville était animée quand il est arrivé.

They don't know when the wedding will be. Ils ne savent pas quand le mariage aura lieu.

What do you want to do after graduation? Que voulez-vous faire après l'obtention de votre diplôme?

It's an excellent novel in every way. C'est un excellent roman à tous points de vue.

I hope the weather is cold enough. J'espère que le temps est assez froid.

I will do what is expected of me. Je ferai ce qu'on attend de moi.

I'll go on an outing with some friends. Je vais faire une sortie avec des amis.

I started school at age 5. J'ai commencé l'école à l'âge de 5 ans.

It is desirable to apply to good schools. Il est souhaitable de postuler à de bonnes écoles.

There is a good restaurant on the street. Il y a un bon restaurant dans la rue.

We each have our private views about it. Nous avons chacun nos opinions personnelles à ce sujet.

I cannot agree with you on this point. Je ne peux pas être d'accord avec vous sur ce point.

There's an interesting film on channel one. Il y a un film intéressant sur la chaîne n°1.

How do you like our English literature Prof.? Que pensez-vous de notre professeur de littérature anglaise.?

He has many strange ideas in his mind. Il a beaucoup d'idées étranges à l'esprit.

The information industry helps boost the global economy. L'industrie de l'information contribue à stimuler l'économie mondiale.

The little girl left primary school at ten. La petite fille a quitté l'école primaire à dix heures.

He will probably follow in his mother's footsteps. Il suivra probablement les traces de sa mère.

He has bought 14 tractors for the village. Il a acheté 14 tracteurs pour le village.

Sometimes I make mistakes when I speak French. Parfois je fais des erreurs quand je parle français.

Who but Axel would do such a thing? Qui d'autre qu'Axel ferait une telle chose?

They covered 180 miles in a single night. Ils ont parcouru 180 miles (290km) en une seule nuit.
She spent a lot of money on books. Elle a dépensé beaucoup d'argent en livres.

Has anybody else anything to say on this? Quelqu'un d'autre a-t-il quelque chose à dire à ce sujet?

What do you do in your spare time? Que fais-tu de ton temps libre?

Can you adapt yourself to the new job? Pouvez-vous vous adapter au nouvel emploi ?

That will be sixteen dollars and ninety four cents. Ca fera seize dollars et quatre-vingt quatorze centimes.

You should have your suit cleaned and ironed. Vous devriez faire nettoyer et repasser votre costume.

I'm duty bound to visit my old aunt. J'ai le devoir de rendre visite à ma vieille tante.

What is the exact size of the room? Quelle est la taille exacte de la pièce?

I'm sorry I have no idea where it is. Je suis désolé(e), je ne sais pas où c'est.

I cannot put up with my noisy roommates. Je ne supporte pas mes colocataires bruyants.

My friend spent his childhood in Paris. Mon ami a passé son enfance à Paris.

I want to make a long distance call. Je veux faire un appel à longue distance.

I don't know, you may want to look in the T.V guide. Je ne sais pas. Je vous invite à regarder le programme T.V.

Do you think people are a company's greatest wealth? Pensez-vous que les gens sont la plus grande richesse d'une entreprise?

Newspapers and periodicals keep me updated on current affairs. Les journaux et les magazines me tiennent au courant de l'actualité.

I could say nothing but that I was sorry. Je ne pouvais rien dire si ce n'est que j'étais désolé.

They say the new film is an adventure story. Ils disent que le nouveau film est un film d'aventure.

I'm always tired when I come home from work. Je suis toujours fatigué(e) quand je rentre du travail.

I'm not sure whether I have locked the door. Je ne sais pas si j'ai verrouillé la porte.

I'd like to make an appointment to see Mr. North. J'aimerais prendre rendez-vous avec M. North.

The movie began as soon as we got there. Le film a commencé dès que nous sommes arrivés là-bas.

To make it fast you can send a message. Pour faire court, vous pouvez envoyer un message.

The advertising campaign didn't have much effect on sales. La campagne publicitaire n'a pas eu beaucoup d'effet sur les ventes.

The color of her dress suits her very well. La couleur de sa robe lui va très bien.

I have a headache and she has a stomachache. J'ai mal à la tête et elle a mal au ventre.

He devoted his life to the study of science. Il a consacré sa vie à l'étude de la science.

I will see you off at the railway station, Je vous dirai au revoir à la gare.

He usually stays at home with his pet dog. Il reste habituellement à la maison avec son chien de compagnie.

We used to have a lot of interesting friends. Nous avions beaucoup d'amis intéressants.

She has to take care of her sick mother. Elle doit prendre soin de sa mère malade.

Part 8

She decided to bring a suit against her boss. Elle a décidé d'intenter un procès à l'encontre de son patron.

He will go into business when he likes to. Il lancera son business quand il voudra.

The restaurant was filled so we decided to go elsewhere. Le restaurant était rempli alors nous avons décidé d'aller ailleurs.

She is easily the best lawyer in the city. Elle est de loin la meilleure avocate de la ville.

They don't often have a bad day this year. Ils ne passent pas souvent de mauvaise journée cette année.

Most of the earth's surface is covered by water. La majeure partie de la surface de la terre est recouverte d'eau.

Why don't I pick you up at your house? Pourquoi je ne viens pas te chercher chez toi?

We've got to do something about the neighbor's dog. Nous devons faire quelque chose à propos du chien du voisin.

We invited the guests to dinner but they didn't come. Nous avons invité les invités à dîner, mais ils ne sont pas venus.

I want to persuade you to change your mind. Je veux vous persuader de changer d'avis.

Many young girls dream of being a fashion model. Beaucoup de jeunes filles rêvent d'être mannequin.

He's eager for you to meet his friends. Il est impatient que tu rencontres ses amis.

No one knows the location of the hidden treasure. Personne ne connait l'emplacement du trésor caché.

I'm on my way to the grocery store. Je suis en route vers l'épicerie.

We can't get good pictures on our TV set. Nous ne pouvons pas avoir des images de bonne qualité sur notre TV.

My watch is fast and yours is slow. Ma montre est rapide et la vôtre est lente.

If it doesn't rain tomorrow we'll have a picnic. S'il ne pleut pas demain nous ferons un pique-nique.

Yes I have both your hat and your coat. Oui, j'ai votre chapeau et votre manteau.

That's a beautiful leather wallet but it costs too much. C'est un beau portefeuille en cuir, mais il coûte trop cher.

I don't feel at ease in this strange place. Je ne me sens pas à l'aise dans cet endroit étrange.

I'm looking forward to your visits next month. J'attends vos visites le mois prochain avec impatience.

Let's just run through the argument for and against. Essayons de passer en revue les arguments pour et contre.

I was writing some letters to friends of mine. J'écrivais des lettres à des amis.

I lost three teeth, my contract and the game. J'ai perdu trois dents, mon contrat et le jeu.

It's quite an effort to lift this heavy box. Un gros effort est nécessaire pour soulever cette boîte lourde.

Give me a hammer from the kitchen will you. Donne-moi un marteau de la cuisine, veux-tu?

I wondered if you could buy me some pencils? Je me demandais si tu pouvais m'acheter des crayons?

My fever is gone but I've still got my cough. Ma fièvre est partie, mais j'ai encore une toux.

He has passed the entrance examination of the college. Il a réussi l'examen d'entrée du collège.

Why is Mary so tired, do you have any idea? Pourquoi Mary est-elle si fatiguée? Avez-vous une idée?

I was on the track team 20 years ago. J'étais dans l'équipe d'athlétisme il y a 20 ans.

It's bleeding. You'd better see a doctor about that cut. Ca saigne. Tu ferais mieux de voir un docteur à propos de cette entaille.

The company is eager to expand into new markets. La société est désireuse de se développer sur de nouveaux marchés.

How can he give us such a tedious lecture. Comment peut-il nous donner une conférence aussi ennuyeuse ?

Why on earth didn't you tell me the truth? Pourquoi diable ne m'avez-vous pas dit la vérité?

We'll have fine weather for the next few days? Nous aurons beau temps pour les prochains jours?

The boys listened to my story with eager attention. Les garçons ont écouté mon histoire avec attention.

This window is just as wide as that one. Cette fenêtre est aussi large que celle-ci.

She told me she wanted to start a company. Elle m'a dit qu'elle voulait créer une entreprise.

She can't dress herself yet because she's too young. Elle ne peut pas s'habiller encore elle-même parce qu'elle est trop jeune.

My country has an area of one million square kilometers. Mon pays a une superficie d'un million de kilomètres carrés.

What time did you get to work yesterday? À quelle heure es-tu arrivé(e) au travail hier matin?

In Canada many ancient forests are very well preserved. Au Canada de nombreuses forêts anciennes sont très bien conservées.

I fell in love with her at first sight. Je suis tombé amoureux d'elle au premier regard.

I'm doing some washing and Mark is cooking dinner. Je me lave et Mark prépare le dîner.

When I get sleepy, I'll probably get ready for bed. Quand j'aurai envie de dormir, je me préparerai probablement à aller au lit.

Is it tomorrow that they will have a meeting? C'est demain qu'ils auront une réunion?

I'm leaving tomorrow but I haven't packed my suitcases yet. Je pars demain, mais je n'ai pas encore préparé mes valises.

He said he was educated in the United States. Il a dit qu'il a été formé aux Etats-Unis.

You have to apply for a passport in advance. Vous devez demander un passeport à l'avance.

They have to work hard to support their family. Ils doivent travailler dur pour subvenir aux besoins de leur famille.

He has tasted the sweets and bitters of life. Il a goûté aux douceurs et aux amertumes de la vie.

My father is at home looking for the ticket. Mon père est à la maison en train de chercher le billet.

The days get longer and the nights get shorter. Les jours s'allongent et les nuit raccourcissent.

He was admitted to the hospital suffering from burns. Il a été admis à l'hôpital souffrant de brûlures.

The little boy is not very clever at addition. Le petit garçon n'est pas très fort avec les additions.

Her diligence has set an example to the others. Son assiduité a donné l'exemple aux autres.

I assume you've decided against buying a new car? Je suppose que vous avez décidé de ne pas acheter de nouvelle voiture ?

I had a hamburger and a fried chicken leg for dinner. J'ai pris un hamburger et une cuisse de poulet frit pour le dîner.

They've been working on this project since last year. Ils travaillent sur ce projet depuis l'année dernière.

Now she looks pale as if she were ill. Maintenant elle a l'air pâle comme si elle était malade.

I wouldn't worry about it if I were you. Je ne m'inquièterais pas, si j'étais toi.

I'm thinking of hanging the lamp from the ceiling. Je pense accrocher la lampe au plafond.

You're still thinking about a PH.D. Aren't you? Vous pensez encore à un doctorat, n'est-ce pas?

Will you connect this wire to the television? Pourriez-vous connecter ce fil à la télévision?

The sight of the dead body scared him stiff. La vue du cadavre lui donna une peur bleue.

I don't know the exact terms of the contract. Je ne connais pas les termes exacts du contrat.

I don't care whether it rains or not. Je me fiche s'il pleut ou non.

I hope he will meet me at the airport. J'espère qu'il me retrouvera à l'aéroport.

I suppose I can finish the project next year. Je suppose que je peux terminer le projet l'année prochaine.

I'd like to wash the clothes for you. Je voudrais laver les vêtements pour vous.

Let's go out to have dinner shall we? Sortons diner, qu’en pensez-vous ?

Do you have any plans for the long weekend? Avez-vous des projets pour le long week-end?

My grandma died of hunger in the old days. Ma grand-mère est naguère morte de faim.

Could you tell me where the nearest telephone is? Pourriez-vous me dire où se trouve le téléphone le plus proche?

I get to work at seven o'clock every morning. Je me rends au travail à sept heures tous les matins.

He made up his mind to quit his job. Il a décidé de quitter son emploi.

How long will it take me to get there? Combien de temps cela me prendra-t-il pour y arriver?

The doctor asked me to watch what I eat. Le docteur m'a demandé de faire attention à ce que je mange.

I'd rather have some tea if you don't mind. Je préfère prendre du thé, si cela ne vous dérange pas.

Do you happen to know Ben's telephone number? Connaissez-vous le numéro de téléphone de Ben par hasard?

His vanity was hurt by their talking so frankly. Son orgueil a été blessé par leur conversation abrupte.

We shall find out the truth sooner or later. Nous devrions découvrir la vérité tôt ou tard.

As you know, I am a very kind person. Comme vous le savez, je suis une personne très gentille.

Many great men have risen from poverty for example Lincoln. Beaucoup de grands hommes sont sortis de la pauvreté, par exemple Lincoln.

If you add three to six you get nine. Si vous additionnez trois et six, vous obtenez neuf.

I only wrote her one letter this month. Je ne lui ai écrit qu'une seule lettre ce mois.

They'll have a party for their 10th wedding anniversary. Ils organiseront une fête pour leur 10ème anniversaire de mariage.

There was an air of excitement at the meeting. Il y avait une excitation générale dans l'air à la réunion.

Long ago people believed that the world was flat. Il y a longtemps, les gens croyaient que le monde était plat.

They played a shameful part in the whole affair. Ils ont joué un rôle honteux dans toute cette affaire.

What will you do the day after tomorrow? Que ferez-vous après-demain ?

I woke up at six and got up right away. Je me suis réveillé(e) à six heures et je me suis levé(e) tout de suite.

The new play was good and everybody enjoyed it. La nouvelle pièce était bien et tout le monde l'a appréciée.

This church is a classic example of medieval architecture. Cette église est un exemple classique de l'architecture médiévale.

Please don't enter before knocking on the door. S'il vous plaît, n'entrez pas avant de frapper à la porte.

Children enter primary school at the ages of six. Les enfants entrent à l'école primaire à l'âge de six ans.

I always used to leave for work at 7. Je partais toujours pour le travail à 7h.

I hope you'll come back to Sydney again. J'espère que vous reviendrez à Sydney.

What's so interesting about football? We girls don't like it. Qu'est-ce qui est si intéressant dans le football? Nous les filles ne l'aimons pas.

Part 9

They're arguing over who should pay the bill. Ils se disputent sur qui devrait payer la facture.

There was much news in the morning paper today. Il y avait beaucoup de nouvelles dans le journal du matin aujourd'hui.

The restaurant is across the street from the hotel. Le restaurant est situé en face de l'hôtel.

Is this your pen? I found it under the desk. Est-ce ton crayon? Je l'ai trouvé sous le bureau.

His wife died a year ago and now he lives alone. Sa femme est morte il y a un an et maintenant il vit seul.

When I saw Mr. Ford he was talking with his son. Quand j'ai vu M. Ford il parlait avec son fils.

They're building a new house up the street. Ils construisent une nouvelle maison dans la rue.

He thinks himself somebody, but we think him nobody. Il se croit quelqu'un, mais nous ne le pensons personne.

According to these figures, our company is doing well. Selon ces chiffres notre entreprise se porte bien.

The enormous increase of population will create many problems. L'énorme augmentation de la population va créer de nombreux problèmes.

They called us just as we were having dinner. Ils nous ont appelés juste quand nous étions en train de dîner.

Do you really want to know what I think? Voulez-vous vraiment savoir ce que je pense?

My sister is twice as tall as your brother. Ma soeur est deux fois plus grande que votre frère.

My sister is two years younger than I am. Mon soeur a deux ans de moins que moi.

Can you guess what I was doing this morning? Peux-tu deviner ce que je faisais ce matin?

The minister is busy with important affairs of state. Le ministre est occupé avec d'importantes affaires d'état.

It's clear that the cat has eaten it. Il est clair que le chat l'a mangé.

I am filled with desire to go back home. J'ai très envie de retourner à la maison.

.

He has a nice sum of money put away. Il a une belle somme d'argent mise de côté.

The thief broke into the house during the night. Le voleur s'est introduit dans la maison pendant la nuit.

The mother sat the child at a little table. La mère a assis l'enfant à une petite table.

He's tired because he worked hard all day today. Il est fatigué parce qu'il a travaillé dur toute la journée aujourd'hui.

What you have said about this is very interesting. Ce que vous avez dit à ce sujet est très intéressant.

I'll probably go out for lunch at about 1. Je vais probablement sortir déjeuner vers 13h.

It's been ten years since I last saw you. Ca fait dix ans que je t'ai vu pour la dernière fois.

I like it a great deal! J'aime beaucoup ça.

It's a very beautiful country with many mountains. C'est un très beau pays avec de nombreuses montagnes.

The truth is quite other than what you think. La vérité est tout à fait autre que ce que vous pensez.

Number nineteen buses run more frequently don't they. Les bus numéro dix-neuf passent beaucoup plus souvent, n'est-ce pas?

Every one must receive 8 years of compulsory education. Tout le monde doit obligatoirement être scolarisé pendant huit ans.

If Stephanie cannot keep her promise she'll lose face. Si Stéphanie ne peut tenir sa promesse, elle va perdre la face.

It seemed as if there was no way out. On aurait dit qu'il n'y avait pas de sortie.

What do you like best, blueberries, bananas or strawberries? Qu'est-ce qu tu aimes le plus, les myrtilles, les bananes ou les fraises?

We have saved some money against our old age. Nous avons économisé de l'argent en prévision de notre vieillesse.

Computers are becoming a part of our everyday life. Les ordinateurs sont en train de devenir une partie intégrante de notre vie quotidienne.

Ducks know how to swim when they're born. Les canards savent nager dès qu'ils sont nés.

I have a lot in common with my brother. J'ai beaucoup en commun avec mon frère.

Would you tell Mr. Job that I'm here. Pourriez-vous dire à M. Job que je suis ici.

The nurse assisted the doctor in the operating room. L'infirmière a aidé le médecin dans la salle d'opération.

The examination put a lot of stress on him. L'examen l'a beaucoup stressé.

I wouldn't go home early if I were you. Je ne rentrerais pas plus tôt si j'étais toi.

Is the plain along the river good for farming? La plaine le long de la rivière est-elle bonne pour l'agriculture ?

It's' only a party in honor of my birthday. Ce n'est qu'une fête en l'honneur de mon anniversaire.

I'm sorry but these four books are 2 days overdue. Je suis désolé(e) mais ces 4 livres ont 2 jours de retard.

I haven't heard from her for a long time. Je n'ai pas eu de ses nouvelles depuis longtemps.

What are you going to do with the books? Qu'allez-vous faire avec les livres?

Your appointment will be next Friday at 1 o'clock. Votre rendez-vous sera vendredi prochain à 13 heures.

Do you feel like going to that new disco? Avez-vous envie d'aller à cette nouvelle discothèque?

She's standing in the front of the bus. Elle se tient à l'avant de l'autobus.

I aimed a the target but hit the wall. J'ai visé la cible mais j'ai heurté le mur.

As soon as she comes we'll let her know. Dès qu'elle viendra, nous lui ferons savoir.

Does the shop open at 8am on weekdays? Le magasin ouvre-t-il à 8 heures en semaine?

We need to cooperate perfectly to win the game. Nous devons coopérer parfaitement pour gagner le match.

I don't want to cause you any trouble. Je ne veux pas te causer de problèmes.

The earth in the garden is good soft soil. La terre du jardin forme un sol bon et mou.

The cast of the play included a famous actor. Le casting de la pièce a inclus un acteur célèbre.

He holds a position of great responsibility upon him. Il lui a été confié un poste à grande responsabilité.

I don't know whether it'll rain or not. Je ne sais pas s'il va pleuvoir ou pas.

They're too delighted to accept the invitation. Ils ne sont que trop ravis d'accepter l'invitation.

Despite all our efforts we still lost the game. Malgré tous nos efforts nous avons toujours perdu le match quand même.

He dreamed of traveling to South America. Il rêvait de voyager en amérique du sud.

If you would only try you could do it. Si vous vouliez seulement essayer vous pourriez le faire.

I can't remember what Lee was doing yesterday afternoon. Je ne me souviens pas de ce que Lee faisait hier après-midi.

I'm going to the bookstore, will you go with me? Je vais à la librairie, voulez-vous venir avec moi?

There's a mark of ink on his shirt. Il y a une marque d'encre sur sa chemise.

While you were writing letters I was reading a book. Pendant que vous écriviez des lettres je lisais un livre.

There's nothing to do because tomorrow is a holiday. Il n'y a rien à faire car demain est un jour férié.

One third of this area is covered with forests. Un tiers de cette superficie est couverte de forêts.

It's faster to go by plane than by boat. Il est plus rapide d'y aller en avion qu'en bateau.

He is expected to win the game with ease. Il devrait gagner le jeu facilement.

Try to look on the bright side of things. Essayez de regarder le bon côté des choses.

I have my lunch in a snack bar nearby. Je prends mon déjeuner dans un snack-bar à proximité.

Do you have enough time to finish the paper? Avez-vous assez de temps pour terminer l'article ?

Then it's usually time to wake up my little sister. Ensuite, il est généralement l'heure de réveiller ma petite soeur.

Which one would you like, this one or that one? Lequel aimeriez vous, celui-ci or celui-la?

I haven't heard from him for a long time. Je n'ai pas eu de ses nouvelles depuis longtemps.

She said she would rather not tell her age. Elle a dit qu'elle préférerait ne pas dire son âge.

You can't go in no matter who you are. Vous ne pouvez pas entrer, peu importe qui vous êtes.

What lessons will you take this semester? Quelles leçons prendras-tu ce semestre?

She makes it clear that she doesn't like swimming. Elle fait clairement savoir qu'elle n'aime pas nager.

In this country the weather is usually very awful. Dans ce pays, le temps est habituellement très mauvais.

He never misses a chance to see a movie. Il ne manque jamais une occasion de voir un film.

He said he knew a lot of people there. Il a dit qu'il connaissait beaucoup de monde la-bas.

The police told everybody to remain in their cars. La police a dit à tout le monde de rester dans leur voiture.

She's been quite different since coming back from Mexico. Elle a été très différente depuis son retour du mexique.

Are you going anywhere this year? Allez-vous aller quelque part cette année?

The brothers differ from each other in their interests. Les frères différent l'un de l'autre par leurs intérêts.

It's the best film that I've ever seen. C'est le meilleur film que j'aie jamais vu.

If you don't go I won't go either. Si tu n'y vas pas, je n'irai pas non plus.

He's a very efficient young man though a little proud. C'est un jeune homme très capable mais un peu fier.

She failed to call the office to cancel her appointment. Elle n'a pas appelé le bureau pour annuler son rendez-vous.

I'll leave for Paris if I finish my work today. Je partirai pour Paris si je termine mon travail aujourd'hui.

Learn to say the right thing at the right time. Apprenez à dire la bonne chose au bon moment.

Could you tell me what the maximum weight allowance is? Pourriez-vous me dire quelle est la limite de poids maximale?

I thought he knew the time of the meeting. Je pensais qu'il connaissait l'heure de la reunion.

No matter what happened he would not say a word. Quoi qu'il se soit passé, il ne dirait pas dire un mot.

Many people complain that computers are taking over their jobs. Beaucoup de gens se plaignent que les ordinateurs prennent leur emploi.

I'm sorry but both of them are busy right now. Je suis désolé mais les deux sont occupés en ce moment.

I used to work until nearly 9 o'clock each day. Je travaillais jusqu'à près de 9 heures chaque jour.

We're going to have the final examination next week. Nous allons passer l'examen final la semaine prochaine.

Part 10

What do you say we have a party this weekend? Que dites-vous de faire une fête ce week-end?

Altogether we will take ten days to make the trip. Au total, il faudra dix jours pour faire le voyage.

A young married couple moved in next door to us. Un jeune couple marié a emménagé à côté de nous.

I have to change my appointment from Tuesday to Friday. Je dois déplacer mon rendez-vous du mardi au vendredi.

I have so many things to do before I leave. J'ai tellement de choses à faire avant de partir.

What do you like to do in your spare time? Qu'aimez-vous faire pendant votre temps libre?

There used to be a grocery store on the corner. Il y avait une épicerie au coin de la rue.

Chevon hasn't made up her mind yet. Chevon n'a pas encore pris sa décision.

Yeh but you know global warming may raise the temperature. Oui mais vous savez que le réchauffement climatique pourrait augmenter la température.

It's a popular show so advance booking is essential. C'est un spectacle populaire, donc réserver à l'avance est essentiel.

Please ask her to call me back when she's back. S'il vous plaît, demandez-lui de me rappeler quand elle sera de retour.

The function started at 6 o'clock and ended at midnight. La soirée a commencé à six heures et s'est terminée à minuit.

The land in this region is rather dry and parched. La terre dans cette région est plutôt sèche et aride.

Do you think you'll go to the movies tomorrow night? Penses-tu que tu iras au cinéma demain soir?

Could you tell me where I can find these books? Pourriez-vous me dire où je peux trouver ces livres?

I'll be back by the end of the year. Je serai de retour d'ici la fin de l'année prochaine.

I'm familiar with the casual atmosphere in the company. Je suis habitué(e) à l'ambiance décontractée de l'entreprise.

Had I taken a taxi I wouldn't have been late. Si j'avais pris un taxi, je n'aurais pas été en retard.

I used to take a walk in the early morning. J'avais l'habitude de me promener tôt le matin.

What time are you going to get up tomorrow morning? À quelle heure vas-tu tu lever demain matin?

It's been 2 years since I saw you last! Ca fait deux ans que je ne t'ai pas vu.

I wash his face and hands then I dress him. Je lave son visage et ses mains, puis je l'habille.

What's the average yearly output of cars in your factory? Quelle est la production annuelle moyenne de voitures dans votre usine?

There's hope so long as he is with us. Il y a de l'espoir tant qu'il est avec nous.

I'm going to call a plumber to come this afternoon. Je vais appeler un plombier pour qu'il vienne cet après-midi.

The biggest festival in my country is the Summer Festival. Le plus grand festival de mon pays est le Festival d'Été..

I've already been there and don't want to go again. J'y suis déjà allé et je ne veux plus y retourner.

Could you tell me where I can wash my hands? Pourriez-vous me dire où je peux me laver les mains?

I feel I am the happiest person in the world. Je me sens la personne la plus heureuse du monde.

The car raised a lot of dust as we drove off. La voiture a soulevé beaucoup de poussière alors que nous partions.

Before I eat breakfast I read the newspaper for a while. Avant de petit-déjeuner j'ai lu le journal pendant un moment.

There's a lot of people in the swimming pool. Il y a beaucoup de monde dans la piscine.

It's been a long time since he last came here. Cela fait longtemps qu'il n'est pas venu ici.

In the flat country people grow wheat and raise cattle. Dans la rase campagne, les gens cultivent du blé et élèvent du bétail.

I will speak against anything I know to be wrong. Je m'élèverai contre tout ce que je trouve injuste.

I'm going to call the employment agency for a job. Je vais appeler l'agence pour l'emploi pour un travail.

This river is one third as long as that river. Cette rivière est d'un tiers aussi longue que cette rivière-ci.

I have two dogs, one is brown and one is black. J'ai deux chiens, l'un est brun, l'autre noir.

Hang up my coat in the closet will you please? Raccroche mon manteau dans le placard s'il te plait, ok?

It's only a suggestion, you don't have to take it. Ce n'est qu'une suggestion, vous n'avez pas à le faire.

What time did you used to get up last year? À quelle heure aviez-vous l'habitude de vous lever l'année dernière?

Will you come join us for lunch on Sunday? Vous joindrez-vous à nous pour le déjeuner du dimanche?

I'm old enough to make up my own mind. Je suis assez vieux pour me décider tout seul.

At the end of the film, the hero wept bitterly. À la fin du film, le heros pleura amèrement.

The population of the city is close to a million. La population de la ville est proche d'un million.

After that I go downstairs to the kitchen to have breakfast. Après cela, je descends à la cuisine pour prendre le petit déjeuner.

I received an invitation but I didn't take it. J'ai reçu une invitation mais je ne l'ai pas acceptée.

What were you doing about 1 o'clock yesterday? Que faisiez-vous vers 13h hier après-midi?

It took him a little while to fix that watch. Il lui a fallu un peu de temps pour réparer cette montre.

It's more important to be healthy than bony slim. Il est plus important d'être en bonne santé que d'être squelettique..

Would you like to go to a party with me? Voudrais-tu aller à une fête avec moi?

I don't think it will lead to a good result. Je ne pense pas que cela conduira à un bon résultat.

It's against the rules to touch the ball in football. C'est contre les règles de toucher le ballon au football.

Start a company? But I thought she would be a scholar? Créer une entreprise? Mais je pensais qu'elle serait une intellectuelle ?

There's 22 votes for him and 16 against. Il y a 22 votes pour lui et 16 contre lui.

I'm afraid I have some bad news for you. J'ai peur d'avoir de mauvaises nouvelles pour vous.

The cellar is very damp in the rainy season. La cave est très humide pendant la saison des pluies.

I hope we can see each other again some time. J'espère que nous nous reverrons dans quelque temps.

I'm afraid it won't be cold enough for a snowfall. J'ai bien peur qu'il ne fasse pas assez froid pour une chute de neige.

A man is innocent until proven guilty. Un homme est innocent jusqu'à ce qu'il soit reconnu coupable.

I wish I'd known about that rule earlier. J'aurais aimé connaître cette règle plus tôt.

Go along the corridor and it's on your left side. Allez le long du couloir et c'est à votre gauche.

What were you doing the month of January last year? Que faisiez-vous durant le mois de janvier de l'année dernière?

I'm hoping to spend a few days in the mountains. J'espère passer quelques jours dans les montagnes.

I still love her even if she doesn't love me. Je l'aime encore même si elle ne m'aime pas.

All of a sudden a rabbit came out of a hole. Tout à coup, un lapin sortit d'un trou.

I hope it won't cause too much trouble. J'espère que cela ne vous causera pas trop de problèmes.

Medical care helps to keep people alive longer. Les soins médicaux aident à garder les gens en vie plus longtemps.

He insists that it doesn't make any difference to him. Il insiste sur le fait que cela ne fait aucune différence pour lui.

You're forgetting to write down the date of your departure. Vous oubliez d'écrire la date de votre départ.

Only by working hard can we succeed in doing everything. Ce n'est qu'en travaillant dur que nous réussirons à tout faire.

I'm going shopping because I need to buy some clothes. Je vais faire du shopping parce que j'ai besoin d'acheter des vêtements.

Would you like to arrange for a personal interview? Voulez-vous organiser une entrevue personnelle?

I tried to call you but the line was busy. J'ai essayé de t'appeler mais la ligne était occupée.

I believe I haven't reached the summit of my career. Je crois que je n'ai pas atteint le sommet de ma carrière.

What kind of climate do you have in this country? Quel genre de climat avez-vous dans ce pays?

I went to sleep immediately and slept soundly all night. Je suis allé(e) dormir immédiatement et j'ai dormi profondément toute la nuit.

He has earned a lot of money this month. Il a gagné beaucoup d'argent ce mois-ci.

Of course I want to know what your opinion is. Bien sûr, je veux savoir quelle est votre opinion.

I had to sit up all night writing the report. J'ai dû passer toute la nuit pour écrire le rapport.

I want an apartment with two bedrooms and a kitchen. Je veux un appartement avec deux chambres et une cuisine.

Noise is unpleasant especially when you're trying to sleep. Le bruit est désagréable surtout lorsque vous essayez de dormir.

While we were having breakfast Lea was talking on the telephone. Pendant que nous prenions le petit déjeuner, Lea parlait au téléphone.

He didn't want to say anything to influence my decision. Il ne voulait rien dire qui influencerait ma décision.

The number 9 bus will take you to the hospital. Le bus numéro 9 t'emmènera à l'hôpital.

The harder I study the better my French will be. Plus j'étudie, meilleur sera mon français.

I found your coat after you had left the house. J’ai trouvé ton manteau après que tu aies quitté la maison.

I always used to ask him a lot of questions. J'ai toujours eu l'habitude de lui poser beaucoup de questions.

My older sister is one year older than her husband. Ma soeur aînée a un an de plus que son mari.

I'm writing to a friend of mine in South America. J'écris à un de mes amis en Amérique du Sud.

It wasn't until last week I got a driving permit. Ce n'est que la semaine dernière que j'ai obtenu un permis de conduire.

I worked as an intern in that firm last summer. J'ai travaillé en tant que stagiaire dans cette entreprise l'été dernier.

We'll have a soap opera series on T.V this week. Nous regarderons un feuilleton à la télévision cette semaine.

The doctor says that I should not eat anything oily. Le médecin dit que je ne devrais pas manger quoi que ce soit de gras.

He's stopped working and lives a very easy life. Il a cessé de travailler et mène une vie très tranquille.

This is by far the largest cake in the world. Ceci est de loin le plus grand gâteau du monde.

Is there any evidence to support what you have said? Y-at-il des preuves à l'appui de ce que vous avez dit?

At noon I had lunch with a friend of mine. À midi j'ai déjeuné avec un de mes amis.

No wonder you can't sleep when you eat so much. Pas étonnant que vous ne puissiez pas dormir quand vous mangez tellement.

If the shirt doesn't fit may I bring it back later? Si cette chemise ne va pas, puis-je la ramener plus tard?

Part 11

The sun was shining and the sky was crystal clear. Le soleil brillait et le ciel était clair.

The thief jumped into a car and made his escape. Le voleur a sauté dans une voiture et s'est enfui.

We got a bad headache and my nose is running. Nous avons eu un méchant mal de tête et mon nez coule.

I get out of bed at about 5 o'clock every morning. Je sors du lit à environ 5h tous les matins.

I'll probably wake up early and get up at 6. Je vais probablement me réveiller tôt et me lever à 6h.

Send a postcard to me when you arrive in London. Envoyez-moi une carte postale quand vous arrivez à Londres.

Many people believe that overweight results from overeating and stress. Beaucoup de gens croient que le surpoids résulte d'un excès de nourriture et de stress.

He set a fine example for all of us. Il a montré un bel exemple pour nous tous.

You have your choice of three flavors of ice cream. Vous avez le choix entre trois saveurs de crème glacée.

It's bleeding, you'd better go see a doctor about that cut. Ça saigne, vous feriez mieux d'aller voir un médecin au sujet de cette coupure.

I hope you have a good time on your trip. J'espère que vous passez du bon temps pendant votre voyage.

Most people eat, write and work with their right hands. La plupart des gens mangent, écrivent et travaillent avec leur main droite.

Are you going to have dinner at home tomorrow night? Est-ce que vous allez dîner à la maison demain soir?

They're going to discuss it at the meeting next Friday. Ils vont en discuter lors de la réunion vendredi prochain.

I have 3 books to check out. J'ai trois livres à emprunter..

James has been to Japan, and I've also been there. James a été au Japon, j'y suis allé(e) aussi.

Go straight ahead and turn right at the third crossing. Continuez tout droit et tournez à droite au troisième croisement.

He knows it's inconvenient but he wants to go anyway. Il sait que c'est peu pratique mais il veut quand même y aller.

The fresh air in the morning made him feel glad. L'air frais du matin l'a fait se sentir heureux.

I can't afford to go to a restaurant every day. Je ne peux pas me permettre d'aller au restaurant tous les jours.

Excuse me how can I get to the bus station? Excusez-moi, comment puis-je accéder à la gare routière?

She shouted on the mountaintop and listened for the echo. Elle a crié au sommet de la montagne et a écouté l'écho.

I've never heard of the piece before, who wrote it? Je n'ai jamais entendu parlé de la pièce avant, qui l'a écrite ?

I'll meet you at the entrance of the zoo tomorrow. Je vous retrouverai à l'entrée du zoo demain.

Which do you like better, the news or the editorial? Qu'est ce que vous aimez le mieux, les nouvelles ou l'éditorial?

I'm going to travel to California by air this weekend. Je voyagerai en Californie en avion ce week-end.

You don't have to pay any duty on personal belongings. Vous n'avez pas à payer de droits de douane sur vos effets personnels.

Wait one moment, I'll be with you in an instant. Attendez un moment, je serai avec vous dans un instant.

I'd like something spicy. Je voudrais quelque chose d'épicé.

I'd like something not spicy. Je voudrais quelque chose de non épicé.

The customs asked me if I had anything to declare. Les douanes m'ont demandé si j'avais quelque chose à déclarer.

It's not too heavy but I don't know the exact weight. Ce n'est pas trop lourd mais je ne connais pas le poids exact.

Who bought that new house down the street from you? Qui a acheté cette nouvelle maison en bas de votre rue ?

Yes I worked from early morning until late at night. Oui j'ai travaillé tôt le matin jusqu'à tard le soir.

I really think a little exercise would do you good. Je pense vraiment qu'un peu d'exercice vous ferait du bien.

By the time we got there, the play had already begun. Au moment où nous sommes arrivés là-bas, la pièce avait déjà commencé.

I dress my brother and wash his hands and face. J'habille mon frère et lave ses mains et son visage.

Although we can't see these atoms they really do exist. Bien que nous ne puissions pas voir ces atomes, ils existent vraiment.

The old lady enjoys a quiet life with her family. La vieille dame jouit d'une vie paisible avec sa famille.

You should always depends on yourself rather than someone else. Vous devriez toujours compter sur vous-même plutôt que sur quelqu'un d'autre.

Would you please go to a dancing party with me? Aimeriez-vous s'il vous plaît aller à une soirée dansante avec moi?

He gave me a chest X-ray and took my blood pressure. Il m'a fait passer une radiographie de la poitrine et a pris ma tension artérielle.

It's difficult to make a decision without knowing all the facts. Il est difficile de prendre une décision sans connaître tous les faits.

We used to go to the movies about once a week. Nous avions l'habitude d'aller au cinéma environ une fois par semaine.

I will never forget the days I spent with you. Je n'oublierai jamais les jours que j'ai passés avec vous.

How much do you know about the works of George Lucas? Que savez-vous sur les oeuvres de George Lucas ?

On Thursday I often spend time reading in the library. Le jeudi je passe souvent du temps à lire dans la bibliothèque..

It doesn't matter whether you get there early or late. Peu importe si vous arrivez là-bas tôt ou tard.

So you'll come then? Please phone if you can't make it. Donc vous viendrez alors? S'il vous plaît téléphonez si vous ne pouvez pas venir.

The police had to employ force to break up the crowd. La police a du employer la force pour disperser la foule.

Even if you take the exam again you won't pass it. Même si vous passez à nouveau l'examen, vous n'y arriverez pas.

I can't express how glad I am to hear from him. Je ne peux pas exprimer à quel point je suis heureux d'avoir de ses nouvelles.

I was born in India but brought up in Australia. Je suis né en Inde mais j'ai grandi en Australie.

I like writing but I won't take it as my career. J'aime écrire mais je n'en ferai pas ma carrière.

I was born in a little town not far from here. Je suis né dans une petite ville non loin d'ici.

This is too small for me, do you have a bigger one. Ceci est trop petit pour moi. En avez-vous un plus grand ?

My mother used to speak French to me all the time. Ma mère me parlait francais tout le temps.

My aunt will come to live with me for some days. Ma tante va venir vivre avec moi pour quelques jours.

If you install an outside antenna you will have better reception. Si vous installez une antenne extérieure vous aurez une meilleure réception.

I left at 4 so that I could catch the train. Je suis parti à 16h pour que je puisse prendre le train.

I'm happy but I'm afraid I don't have the time. Je suis heureux mais je crains de ne pas avoir le temps.

Let's go to the airport, the plane landed ten minutes ago. Allons à l'aéroport. L'avion a atterri il y a dix minutes.

It's generally accepted that smoking is harmful to our health. Il est généralement admis que le tabagisme est nocif pour notre santé.

Thanks for your advice but I have to consider it myself. Merci pour vos conseils mais je dois y réfléchir moi-même.

I never grow tired of novels though I read them everyday. Je ne me lasse jamais des romans bien que j’en lise tous les jours.

Do you like to take the local train or an express? Aimez-vous prendre le train local ou le TGV ?

What time are you going to leave for the airport tomorrow? À quelle heure allez-vous partir pour l'aéroport demain?

A dictionary is an invaluable aid in learning a new language. Un dictionnaire est une aide précieuse dans l'apprentissage d'une nouvelle langue.

There must be something wrong with the engine of my car. Il doit y avoir quelque chose qui ne va pas avec le moteur de ma voiture.

I gave the alarm as soon as I saw the smoke. J'ai donné l'alarme dès que j’ai vu de la fumée..

I don't want to see any more of this T.V. show. Je ne veux plus rien voir de cette émission de télévision.

Would he have seen you if you hadn't waved to him? Vous aurait-il vu si vous ne lui aviez pas fait signe?

I assure you that you will feel no pain at all. Je vous assure que vous ne sentirez aucune douleur.

There's nothing better for you than plenty of water and sleep. Il n'y a rien de mieux pour vous que beaucoup d'eau et de repos.

I'll work for 2 years then go back to school. Je travaillerai pendant deux ans puis retournerai à l'école.

My friend Ed is a reporter for the New York Times. Mon ami Ed est journaliste pour le New York Times.

After dinner I read a magazine and made some telephone calls. Après le dîner, j'ai lu un magazine et passé quelques appels téléphoniques.

I forgot to prepare the speech I'm supposed to give today. J'ai oublié de préparer le discours que je suis censé donner aujourd'hui.

She's working for her double major in English and Economics. Elle travaille sur sa double majeure en anglais et en économie.

A good knowledge of English will improve your chances of employment. Une bonne connaissance de l'anglais permettra d'améliorer vos chances d'emploi.

I can't help eating sweets whenever they are in my presence. Je peux pas m'empêcher de manger des bonbons dès qu'ils sont en ma présence.

My cousin has just been promoted to the rank of major. Mon cousin vient d'être promu au grade de principal.

If I have enough money I'm going to take a trip abroad. Si j'ai assez d'argent je vais faire un voyage à l'étranger.

In spite of the heavy rain she went to the shop. Malgré la forte pluie elle est allée à la boutique.

I thought it was a reasonable proposal but he didn't agree. J'ai pensé que c'était une proposition raisonnable mais il n'était pas d'accord.

There's no gas range in the kitchen but you can use the electric stove. Il n'y a pas de cuisinière à gaz dans la cuisine, mais vous pouvez utiliser le poêle électrique.

When I was young I'd listen to the radio waiting for my favorite songs. Quand j'étais jeune j'écoutais la radio en attendant mes chansons préférées.

Combining exercise with diet may be the most effect way to lose weight. La combinaison de l'exercice avec le régime peut être le moyen le plus efficace pour perdre du poids.

There are mice next to the refrigerator under the sink and inside the cupboard. Il y a des souris à côté du réfrigérateur, sous l'évier et à l'intérieur de l'armoire.

If you buy that home, will you spend the rest of your life there? Si vous achetez cette maison, allez-vous passer le reste de votre vie là-bas?

There's going to be a pottery exhibition at the art gallery. Il va y avoir une exposition de poterie à la galerie d'art.

He tries to button his own shirt but he can't do it. Il essaie de boutonner sa chemise mais il n'y arrive pas..

Jen and Clark congratulated us on the birth of our daughter. Jen et Clark nous ont félicités pour la naissance de notre fille.

I find classical concerts more to my liking than rock concerts. Je trouve les concerts de musique classique plus à mon goût que les concerts de rock.

As a matter of fact he was pretending to be ill. Visiblement il faisait semblant d'être malade.

You look as pretty now as you did then. Vous avez l'air aussi jolie maintenant que vous l'étiez alors.

Please excuse me for a little while. I want to do something. S'il vous plaît excusez-moi un moment, il faut que je fasse quelque chose.

I'll probably see you tomorrow but in any event I'll phone. Je vous verrai probablement demain, mais dans tous les cas je téléphonerai.

I'll be waiting for you at the restaurant this time tomorrow. Je vous attendrai au restaurant à cette heure demain.

No wonder people say that computers are taking over the world. Pas étonnant que les gens disent que les ordinateurs sont en train de prendre le contrôle du monde entier.

Part 12

Can you tell me how to get to Mr Chows restaurant. Pouvez-vous me dire comment aller au restaurant de M. Chow ?

I used to have lunch every day at the same time. J'avais l'habitude de déjeuner tous les jours à la même heure.

It's said he has secret love affairs with two women. On dit qu'il a des aventures avec deux femmes.

It took him a long time to make up his mind. Il lui a fallu beaucoup de temps pour se décider.

My parents are retired and now live a life of ease. Mes parents sont retraités et vivent une vie paisible.

When I arrived at the station the train had already left. Quand je suis arrivé à la gare, le train était déjà parti.

What were you doing when I called you on the telephone? Que faisiez-vous quand je vous ai appelé(e) au téléphone?

The hardest thing to learn is to be a good loser. La chose la plus difficile c'est d'apprendre à être un bon perdant.

Could you tell me your secret for a long happy life? Pourriez-vous me dire votre secret pour une vie longue et heureuse?

What I want to do is different from those of others. Ce que je veux faire est différent de ceux des autres.

If you take my advice you won't tell anyone about this. Si vous suivez mon conseil, vous ne direz rien à personne à ce sujet.

Walking up and down the stairs would beat any exercise machine. Monter et descendre les escaliers serait plus efficace que n'importe quelle machine d'entraînement..

We have a few kitchen things and a dining room set. Nous avons quelques ustensiles de cuisine et du mobilier de salle à manger.

If I were you I would not be bothered by English. Si j'étais vous, je ne m'embêterais pas avec l'anglais.

We've tried our best to effect reconciliation between the two parties. Nous avons essayé de notre mieux pour effectuer la réconciliation entre les deux parties.

Have you read the article about the rescue of the hostage? Avez-vous lu l'article sur le sauvetage de l'otage?

If you don't work you will fail to pass the exam. Si vous ne travaillez pas, vous ne pourrez pas réussir l'examen.

As far as policy is concerned I have to say something. En ce qui concerne la politique, j'ai quelque chose à dire.

I'm usually just using the search engines to look up information.Habituellement, je me sers seulement des moteurs de recherche pour chercher des informations.

I hope we can have some snow this winter. J'espère que nous pourrons avoir un peu de neige cet hiver.

How would you go to Beijing? Comment iriez-vous à Pékin ?

He usually drops in at my place on his way home. Généralement il passe chez moi à l'improviste lorsqu'il rentre chez lui.

I heard the clock but I didn't get up until 9. J'ai entendu le réveil, mais je ne me suis pas levé(e) avant 9 heures.

The only feasting I do these days is in my dream. La seule fête que je fasse ces jours-ci est dans mes rêves.

Would you be so kind as to lend me some money? Auriez-vous l'amabilité de me prêter de l'argent?

Parliament has passed an Act forbidding the killing of rare animals. Le Parlement a adopté une loi interdisant l'abattage des animaux rares.

I forgot what time she said she had dinner last night. J'ai oublié à quelle heure elle a dit qu'elle avait diné hier soir.

The sun rises in the east and sets in the west. Le soleil se lève à l'est et se couche à l'ouest.

Good god I hope that isn't a loud gun, I hate this noise. Mon Dieu j'espère que ce n'est pas une arme à feu bruyante.. Je déteste ce bruit.

I slipped on the stairs and fell down. I broke my leg. J'ai glissé dans les escaliers et je suis tombé(e). Je me suis cassé la jambe.

As I had plenty of money I was able to help her. Comme j'avais beaucoup d'argent, j'ai pu l'aider.

Then I asked him if he knew anybody in Paris. Alors je lui ai demandé s'il connaissait quelqu'un à Paris.

You can stay as long as you pay the rent on time. Vous pouvez rester aussi longtemps que vous payez le loyer en temps et en heure..

He appears to be your friend but I doubt if he is. Il est apparemment votre ami, mais je doute qu'il le soit vraiment.

I'll go to pick up some odds and ends at the store. J'irai chercher quelques bricoles au magasin.

It opens at 7am on weekdays but 11am on weekends. Il ouvre à 7 heures en semaine mais à 11 heures le week-end.

Not only did I know her but I was her best friend. Je n'étais pas qu'une connaissance, j'étais son meilleur ami.

If she had been fine we would have gone to the park. Si elle s'était sentie bien nous serions allés au parc.

The waiter seems to be in a hurry to take our order. Le garçon semble être pressé de prendre notre commande.

You can take the bus and get off at the second stop. Vous pouvez prendre le bus et descendre au deuxième arrêt.

My brother and me used to go to a lot of places together. Mon frère et moi avions l'habitude d'aller à beaucoup d'endroits ensemble.

After I had finished my paper I put it in the drawer. Après avoir terminé mon document je l'ai mis dans le tiroir.

Do you think you'll be able to go to sleep right away? Pensez-vous que vous serez capable d'aller dormir tout de suite?

I'm in charge of the company when the manager is out. Je suis en charge de la société lorsque le gérant est absent.

I borrowed a book from Bre and lent it to Joe. J'ai emprunté un livre de Bre et je l'ai prêté à Joe.

I'm so full that I'd burst with another bite. Je suis tellement pleine que j'éclaterais avec une bouchée supplémentaire..

Which would you rather do, go dancing or go to the cinema. Qu'aimeriez vous plutôt faire - aller danser ou aller au cinéma?

I have to drop by the bank to get some money. Je dois passer par la banque pour retirer de l'argent.

I used to set my alarm clock for exactly 6a.m. J'avais l'habitude de mettre mon réveil à exactement 6 heures.

I'll finish working at 6:30 and get home by 7 o'clock. Je finirai de travailler à 18h30 et rentrerai à la maison à19h.

A group of us went out to the theatre last night. Une partie d'entre nous est sortie au théâtre hier soir.

What have you been doing since I saw you last time. Qu'est-ce que vous avez fait depuis que je vous ai vus la dernière fois?

What I do on my own time is nobody else's business. Ce que je fais de mon temps libre ne regarde personne d'autre..

That was the third time that I had visited the place. Ce fut la troisième fois que j'avais visité l'endroit.

Although my uncle is old he looks very strong and healthy. Bien que mon oncle soit vieux, il a l'air très robuste et en bonne santé.

Could you tell me where the post office is. Pourriez-vous me dire où se trouve le bureau de poste ?

This knife is dirty would you bring me a clean one please. Ce couteau est sale. Pourriez-vous m’en apporter un propre, s'il vous plaît?

How long does it take for a letter to get to England from Paris? Combien de temps faut-il pour qu’une lettre arrive de Paris jusqu’à l'Angleterre ?

She likes Stefan a lot but she doesn't want to get married so early. Elle aime beaucoup Stefan, mais elle ne veut pas se marier si tôt.

Will you please try to find out for me what time the train arrives? Voulez-vous s'il vous plaît essayer de trouver pour moi à quelle heure arrive le train ?

If she finds out you spilled ink on her coat she'll blow her stack. Si elle découvre que vous avez renversé de l'encre sur son manteau elle va exploser.

Why don't you put an advertisement in the paper to sell that old car? Pourquoi ne pas mettre une annonce dans le journal pour vendre cette vieille voiture?

I want to take a walk along the riverbank, singing my favorite songs. Je veux faire une promenade le long de la berge, en chantant mes chansons préférées.

What would you have done if you hadn't gone out for a picnic yesterday? Qu'est-ce que vous auriez fait si vous n'étiez pas sorti faire un pique-nique hier?

He came out of the library with a large book under his arm. Il est sorti de la bibliothèque avec un grand livre sous le bras.

If there's a chance you'll go I'd like to go with you. S'il y a une chance que vous y alliez, je voudrais y aller avec vous.

It's cold and foggy in Toronto this time of year. Il fait froid et le temps est brumeux à Toronto à cette époque de l'année.

At bedtime I take off my clothes and put on my pajamas. Au moment du coucher j'enlève mes vêtements et mets mon pyjama.

In my opinion your new coat is not worth so much money. À mon avis, votre nouveau manteau ne vaut pas tant d'argent.

The late arrival of the ship had messed up all our plans. L'arrivée tardive du navire avait contrecarré tous nos plans.

With all these mouths to feed he didn't know what to do. Avec toutes ces bouches à nourrir, il ne savait pas quoi faire.

All of these houses have been built in the last ten years. Toutes ces maisons ont été construites au cours des dix dernières années.

It's supposed to start at 5 sharp but I doubt it will. C'est censé commencer à 17h pile, mais j'en doute.

.

On behalf of my company I would like to welcome you here. Au nom de mon entreprise je voudrais vous souhaiter la bienvenue ici.

I imagine I'll do some work instead of going to the movies. Je pense que je vais travailler un peu au lieu d'aller au cinéma.

There was a big crowd and we had difficulty getting a taxi. Il y avait une grande foule et nous avons eu du mal à avoir un taxi.

After you think it over, please let me know what you decide. Après y avoir réfléchi,, s'il vous plaît faites-moi savoir ce que vous décidez.

At this time of year farmers begin to plow their fields. À cette époque de l'année les agriculteurs commencent à labourer leurs champs.

I would never have thought of it if you hadn't mentioned it. Je n'aurais jamais pensé à ça si vous ne l'aviez pas mentionné.

I must admit it's more difficult than I thought it would be. Je dois l'avouer, c'est plus difficile que ce que je pensais.

I'm vacuuming the floor now and have several shirts to iron. Je suis en train de passer l'aspirateur maintenant et j'ai plusieurs chemises à repasser.

There is a broken small old gray stone bridge over the river. Il y a un ancien petit pont en pierre grise démoli au-dessus de la rivière.

After the play was over we all wanted to get something to eat. Après que la pièce fut terminée, nous voulions tous trouver quelque chose à manger.

One of my suitcases is small and the other one is medium size. Une de mes valises est petite et l'autre est de taille moyenne.

A new system of taxation will be brought into effect next year. Un nouveau système de taxe entrera en vigueur l'année prochaine.

How can I climb up that wall. I wish I were a bird. Comment puis-je escalader ce mur ? Je voudrais être un oiseau.

Make it an hour and a half. We have to get more food. Faites-le en une heure et demie. Nous devons obtenir plus de nourriture.

Do you think you'll be able to go to sleep right away? Pensez-vous que vous serez en mesure d'aller dormir tout de suite?

The room has a big closet, You can put your baggage in it. La chambre dispose d'un grand placard. Vous pouvez mettre vos bagages dedans.

Will you please measure this window to see how wide it is? Voulez-vous s'il vous plaît mesurer cette fenêtre pour voir quelle est sa largeur ?

I feel at home living here. The landlady is very kind to me. Je me sens à la maison en vivant ici. La maîtresse de maison est très gentille avec moi.

I have to take the number 23 bus, but where's the bus stop? Je dois prendre le bus numéro 23 mais où est l'arrêt de bus?

Will it be convenient for you to explain your plans to him? Est-ce que ce sera facile pour vous de lui expliquer vos plans?

Yes you're right. After all she's smart enough to go into business. Oui tu as raison. Après tout, elle est assez intelligente pour lancer son business.

I hope I can get a decent job with a good salary. J'espère que je peux obtenir un emploi décent avec un bon salaire.

I leave the house at 7 and get to work at 7:30. Je pars de la maison à 7 heures et j'arrive au travail à 7h30.

Many people prefer living in the country to living in the town. Beaucoup de gens préfèrent vivre à la campagne qu'en ville.

There have been great advances in medicine in the last ten years. Il y a eu de grandes avancées dans la médecine au cours des dix dernières années.

We talk about reducing our costs but it's easier said than done. Nous parlons de réduire nos coûts, mais c'est plus facile à dire qu'à faire.

He asked me some personal questions but I would never answer them. Il m'a posé quelques questions personnelles mais je n'y répondrai jamais.

Part 13

I will continue my learning although Im tired of learning English. Je continuerai mon apprentissage même si je suis fatigué(e) d'apprendre l'anglais.

I'd be very grateful for information about entry to your college. Je serais très reconnaissant(e) d'avoir plus d'informations sur l'intégration de votre université.

His skill in negotiating earned him a reputation as a shrewd tactician. Ses talents de négociateur lui ont valu une réputation de fin stratège..

You're just putting on a little weight. I believe you'll get that off easily. Vous êtes juste en train de prendre un peu de poids. Je pense que vous le perdrez facilement.

He does not pay attention to anybody. You are wasting your time in persuading him. Il ne fait attention à personne. Vous perdez votre temps à tenter de le persuader.

He won the first game and I won the second so now we are even. Il a remporté le premier match et j'ai gagné le deuxième, alors maintenant nous sommes quittes.

All my best memories come back clearly to me. Some can even make me cry. Tous mes meilleurs souvenirs me reviennent distinctement à l'esprit,, certains peuvent même me faire pleurer.

We should not only know the theory but also how to apply it to practice. Nous devrions connaître non seulement la théorie mais aussi comment l'appliquer à la pratique.

This is the most wonderful day of my life because I'm here with you now. C'est le jour le plus merveilleux de ma vie parce que je suis ici avec vous en ce moment. .

Looking back on it I think I shouldn't have given up the contest so easily. En regardant en arrière je pense que je n'aurais pas du abandonner la compétition si facilement.

I had thought about living with my grandparents when my parents went abroad last year. J'avais pensé à aller vivre avec mes grands-parents quand mes parents sont partis à l'étranger l'année dernière.

Sid has opened his own business while his classmates are still slogging away at school. Sid a ouvert sa propre entreprise tandis que ses camarades de classe sont toujours en train de bosser à l'école.

I don't care where we go as long as we don't have to stand in line. Je me fiche d'où nous allons du moment que nous n'avons pas à faire la queue.

The period in which man learnt to make tools of iron is called the Iron age. La période où l'homme a appris à fabriquer des outils en fer est appelée l'âge de fer.

I'd thought about arguing with the teacher about that, but I didn't have the courage. J'avais pensé à débattre avec l'enseignant à ce sujet mais je n'avais pas le courage.

You guys keep talking so loudly that I have to speak at the top of my voice. Vous les gars vous parlez tellement fort que je dois hurler.

Even if you had given him much more money he might not have paid off the debt. Même si vous lui aviez donné beaucoup plus d'argent, il n'aurait peut-être pas remboursé la dette.

He goes home early everyday for fear that his wife would be angry. Il rentre à la maison tous les jours tôt, de peur que sa femme soit en colère.

I regret to inform you that we are unable to offer you employment. J'ai le regret de vous informer que nous ne pouvons pas vous offrir un emploi.

The maximum weight allowance is 40 kilos per traveler excluding hand luggage. Le poids maximum est de 40 kilos par voyageur, à l'exclusion des bagages à main.

I get into bed at about 10:30 and go right to sleep. Je me couche vers 22h30 et vais directement dormir.

How much cloth does it take to make a skirt for the girl? Combien de tissu faut-il pour fabriquer une jupe pour la jeune fille?

Take it easy, you'll be right in a couple of days. Allez-y doucement, vous vous sentirez bien dans quelques jours.

None of us can equal her, either in beauty or as a dancer. Aucun de nous ne peut l'égaler, que ce soit en beauté ou en tant que danseuse.

The rabbit ran into the woods and would not come back. Le lapin courut dans les bois et ne revint plus.

There have been a lot of changes here in the last 10 years. Il y a eu beaucoup de changements ici au cours des 10 dernières années.

He will become a writer if he goes on doing well in writing. Il deviendra un écrivain s'il continue de bien se débrouiller à l'écrit.

My little brother takes a bath before he goes to bed at night. Mon petit frère prend un bain avant d'aller au lit le soir.

We keep in touch with each other by Email since he left America. Nous restons en contact par e-mail depuis qu'il a quitté les états-unis.

I would like to express to all of you here our sincere welcome. Je voudrais vous souhaiter sincèrement à tous ici la bienvenue.

Since I'm here I'd like to try a typical dish of this country. Etant donné que je suis ici je voudrais essayer un plat typique de ce pays.

Had it not been for the alarm clock she would have been late. S'il n'y avait pas eu le réveil, elle aurait été en retard.

The T.V programs were really boring so I went to bed very early. Les programmes de télévision étaient vraiment ennuyeux alors je suis allé au lit très tôt.

You might as well throw your money away than spend it gambling. Vous pourriez aussi bien jeter votre argent par les fenêtres que le dépenser dans le jeu.

Can you put me in the image of the Football World Cup Match? Pouvez-vous me donner les dernières informations sur la Coupe du monde de football ?

No matter how hard you work the boss will not be fully satisfied. Peu importe le travail fourni,, le patron ne sera pas pleinement satisfait.

I often take my mind off my work by reading an interesting novel. J’oublie souvent le travail en lisant un roman intéressant.

You may not like him but you have got to admire his persistence. Vous pouvez ne pas l'aimer mais vous devez admirer sa persévérance.

Don't shout into my ears like that, I can hear you perfectly well. Ne criez pas dans mes oreilles comme ca, je vous entends très bien.

If you really want my advice I don't think you should quit school. Si vous voulez vraiment mon avis, je ne pense pas que vous devriez quitter l'école.

The cupboards in her kitchen were full of things she did not need. Les placards dans sa cuisine étaient pleins de choses dont elle n'avait pas besoin.

I'm certain he'll go to see the film because he's bought a ticket. Je suis certain qu'il ira voir le film parce qu'il a acheté un billet.

If I had enough money yesterday I would have bought that tape. Si j’avais eu assez d'argent hier j'aurais acheté cette cassette.

In the west of America, there are many high peaks and deep canyons. Dans l'ouest de l'amérique il y a beaucoup de hauts sommets et de profonds canyons.

Why don't you find a job and end this dependence upon your parents? Pourquoi ne trouvez-vous pas un emploi et mettez fin à cette dépendance à l'égard de vos parents?

My daughter's eighteen years old and has grown into a beautiful lady. Ma fille a dix-huit ans et est devenue une belle jeune femme.

Yet all these things, different as they seem, have one thing in common. Pourtant, toutes ces choses, aussi différentes semblent-elles, ont une chose en commun.

I don't think it's necessary for us to discuss this question any further. Je ne pense pas qu'il nous soit nécessaire de débattre davantage cette question.

The scenery is very beautiful in the small islands in the Pacific Oceans. Les paysages sont très beaux dans les petites îles du pacifique.

Unfortunately you'll have to pay the fine before you check those books out. Malheureusement, vous devrez payer l'amende avant d'emprunter ces livres.

Her rich experience gave her an advantage over other applicants for the job. Sa grande expérience lui a donné un avantage sur les autres candidats pour le poste.

We were greatly helped in our investigation by the cooperation of the police. Nous avons été grandement aidés dans notre enquête grâce à la coopération de la police.

Politicians should not engage in business affairs that might affect their political judgement. Les hommes politiques ne devraient pas s’engager dans des transactions commerciales qui pourraient affecter leur jugement politique.

You look like a million dollars. Vous êtes très élégant(e).

Go on for about 200 meters, it's on your right, you can't miss it. Avancez sur environ 200 mètres. Ce sera sur votre droite,. vous ne pouvez pas le manquer.

There being no one to help me, I had to do it all alone. Puisqu'il n'y avait personne pour m'aider, j’ai du le faire tout seul.

I supposed him to be very clever but he was in fact a fool. Je le pensais très intelligent mais en fait c’était un imbécile.

I would have had a much better holiday if I had stayed at home. J'aurais passé de bien meilleurs vacances si j’étais resté(e) à la maison.

If we had not broken his tooth he would not be in hospital now. Si nous n’avions pas cassé sa dent, il ne serait pas à l'hôpital maintenant.

Quotes

A clear conscience laughs at a false accusation. Une conscience claire rit de fausses accusations.

What is worth doing is worth doing well. Ce qui vaut la peine d'être fait vaut la peine d'être bien fait.

Great efforts ensure the success of our work. De grands efforts assurent le succès de notre travail.

You can kill two birds with one stone. Vous pouvez faire d'une pierre deux coups.

Old tunes are sweetest and old friends are surest. Les vieux airs sont les plus doux et les vieux amis sont les plus sûrs.

Every man is a fool sometimes, but none at all times. Chaque homme est idiot parfois, mais aucun en tout temps.

All work and no play makes Jack a dull boy. Tout le travail et pas de jeu rend Jack un garçon terne.

I will love you until the seas run dry and the rocks crumble. Je vous aimerai jusqu'à ce que les mers courent sec et les rochers crumble.

I will love you until the seas run dry and the rocks crumble. Je vous aimerai jusqu'à ce que les mers soient sèches et les rochers s'effritent.

It is better to prevent than to heal - Mieux vaut prévenir que guérir.

First, do no harm - Et d'abord, ne pas nuire.

Little by little, the bird makes its nest - Petit à petit, l'oiseau fait son nid.

(He) Who runs after two hares at the same time, catches none - Qui court deux lièvres à la fois, n'en prend aucun.

Who does not move forward, recedes - Qui n'avance pas, recule.

When one doesn't have the things that one loves, one must love what one has - Quand on à pas ce que l'on aime, il faut aimer ce que l'on a.

I think, therefore, I am - Je pense, donc je suis.

There are no half-truths - Il n'y a pas de vérités moyennes.

We say that time is a great teacher. It's too bad that it kills all its students - Le temps est un grand maître, dit-on. Le malheur est qui'il tue ses élèves.

Doing is better than saying - Il vaut mieux faire que dire.

Two hearts in love need no words - Entre deux cœurs qui s'aiment, nul besoin de paroles.

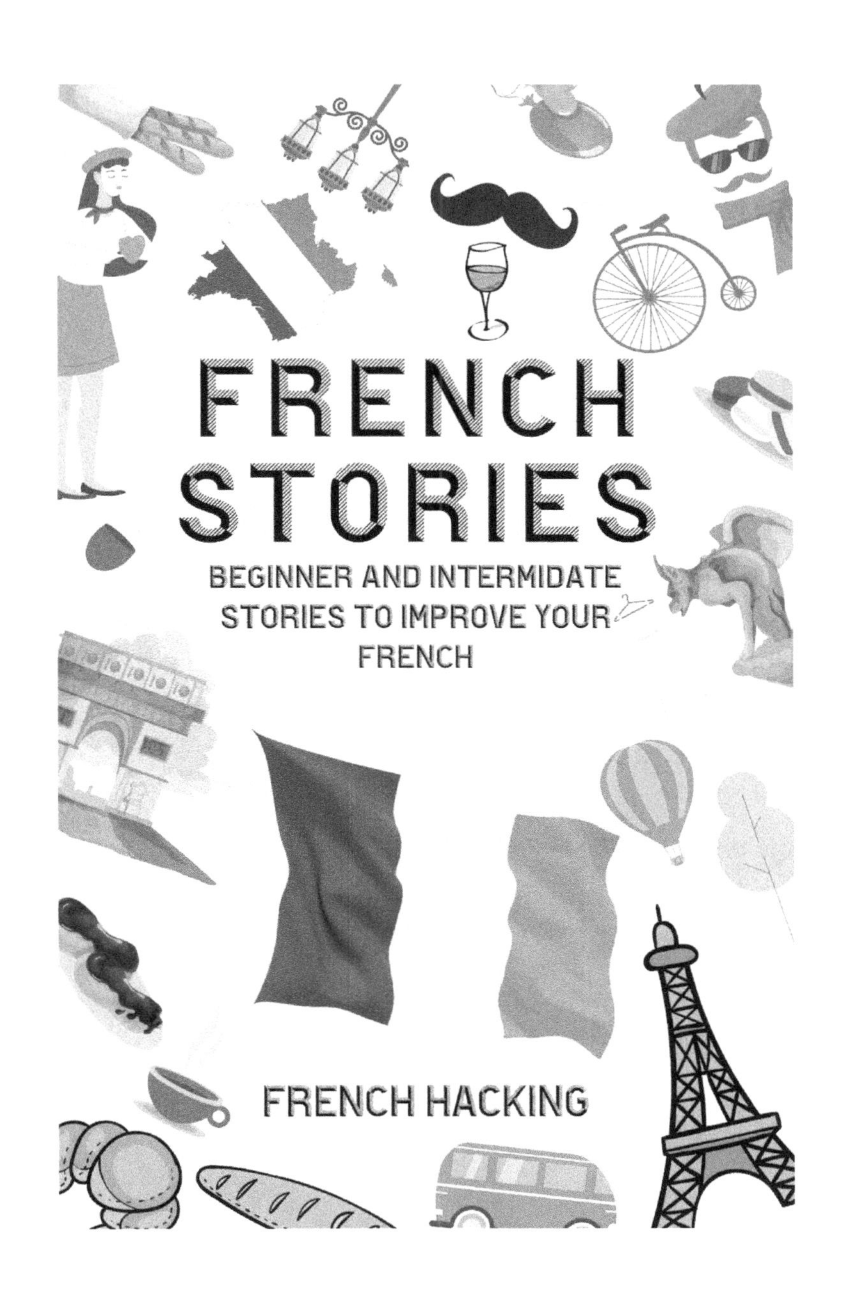
FRENCH
STORIES
BEGINNER AND INTERMIDATE
STORIES TO IMPROVE YOUR
FRENCH
FRENCH HACKING

French Stories - Beginner And Intermediate Stories To Improve Your French

Chapitre 1: Les membres de la famille

Mademoiselle Chantal, mère de 2 enfants est enseignante à l'**école primaire** Cavenne de Lyon. Dans le cadre de l'**apprentissage** de la présentation et de l'expression en public, elle a fait participer tous ses **élèves** à une séance commune. C'est ainsi qu'au cours d'une leçon Mademoiselle Chantal demande à chacun d'eux, tous âgés **en moyenne** de 10 ans de parler de sa **famille**.

Ecole primaire : Primary school
Apprentissage : Learning
Salle : Classroom
Élève : Student
En moyenne : In average
Famille : Family

La classe est en **majorité** composée de **garçons** (15 garçons contre 9 **filles**). C'est ainsi que Franklin, l'un des élèves les plus **vaillants** de la salle demande la permission de prendre la parole pour commencer l'activité en question.

Je m'appelle Franklin, j'ai 10 ans et je vais vous présenter les membres de ma famille. J'ai un **frère** et deux **sœurs** : Cédric, Corinne et Sylvia. L'**aîné** de la famille Cédric est âgé de 18 ans et est en classe de Terminale Scientifique. La deuxième de la famille Corinne a 16 ans et est élève au **lycée**. L'avant dernière Sylvia a pour sa part 14 ans et s'apprête à entrer au Lycée. Je suis donc logiquement le **benjamin** de la famille.

Majorité : Majority
Garçon : Boy
Fille : Girl
Vaillant : Valiant
Frère : Brother
Sœur : Sister
Aîné : Elder
Lycée : High school
Benjamin : Youngest

Ça fait bien **longtemps** que mes parents se sont mariés, plus précisément depuis 23 ans. Mon **papa** qui s'appelle Jean-Marie est

médecin et il travaille à l'**hôpital** de la Charité de Lyon. Ma **maman** se prénomme Laura. Elle est **ménagère**. J'aime beaucoup ma maman parce qu'elle s'occupe non seulement de la **maison**, mais aussi vient très souvent nous chercher à la sortie de l'école, tandis que c'est papa qui nous dépose le matin en allant à son lieu de service. Nous habitions auparavant à Strasbourg. Du fait du travail de papa, nous avons aménagé ici il y a 4 ans.

Longtemps : Long time
Papa : Father
Médecin : Doctor
Hôpital : Hospital
Maman : Mom
Ménagère : Housewife
Maison : House

J'ai la chance que mes grands-parents maternels vivent encore. **Grand-père** Henry et **Grand-mère** Hortense vivent toujours ensemble en Bretagne. Je vais les voir chaque année durant les vacances d'**été** avec mes frères et sœurs.

Du côté **paternel**, je n'ai pas eu la chance de connaître grand-pa Christophe qui est **décédé** avant ma **naissance**. Toutefois, Grand-mère Cécile vit dans le Sud-Est de la France, plus précisément à Nice.

Nous avons une **tradition familiale** qui nous est chère. Chaque fête de Noël, nous allons fêter avec nos **grands-parents** paternels et maternels un an sur deux.
Mais il arrive qu'à certaines occasions telles que la fête de Pâques ou un anniversaire, ils nous fassent la surprise de leur présence. Ceci nous aide à renforcer davantage nos liens.

Grand-père : Grandfather
Grand-mère : Grandmother
Été : Summer
Paternel : Paternal
Décédé : Deceased
Naissance : Birth
Tradition familiale : Family tradition
Grands-parents : Grandparents

J'ai deux **tantes** et un **oncle**. Mes tantes qui sont les grandes sœurs de ma maman, s'appellent Monique et Claudia.

Tata Monique est **professeur** de français dans le nord de Marseille. Elle est mariée à Rostand et ils ont 2 garçons. Mes **cousins** Achilles et Emmanuel sont bien plus âgés que moi : 12 et 17 ans. Ils sont également élèves et nous nous entendons très bien.

Tantine Claudia est secrétaire de direction dans une multinationale présente dans plusieurs pays dans le monde. Elle n'est malheureusement pas mariée. Toutefois, elle a une fille Cynthia, âgée de 22 ans qui est **étudiante** et qui par ailleurs a un petit garçon de 3 ans. Tata Claudia est très fière d'avoir un **petit-fils** et cela suffit largement à faire son bonheur, bien que ce ne soit pas toujours facile de gérer entre travail, responsabilités et charges domestiques.
Mon **tonton** Martial est le **petit frère** de papa. Il est **policier** et vit à Nantes. Son **épouse** Josiane est assistante sociale pour le compte de la mairie de la même ville. Ma **cousine** Célesta et son frère François sont les fruits de leurs unions. Tous les deux sont allés étudier à l'université en dehors du pays.

La maîtresse est satisfaite de la prestation du petit Franklin et demande à toute la classe de l'applaudir **chaleureusement**. C'est ainsi qu'à tour de rôle, les autres élèves ont pris la suite de Franklin en suivant son exemple. Non seulement ceci leur permet de s'**exprimer**, mais aussi de mieux se connaître. Ainsi, cette activité apparemment **ludique** est le moyen par excellence permettant aux enfants de tisser des liens d'amitié plus sincères.

Tantes : Aunts
Oncle : Uncle
Professeur : Professor
Cousins : Cousins

Tantine : Auntie

Etudiante : student

Tonton : Uncle

Petit-fil : Grandson

Petit frère : Junior brother

Policier : Police officer

Epouse : Spouse

Cousine : Cousin

Chaleureusement : Warmly

S'exprimer : Speak out

Ludique : Playful

Des questions - Chapitre 1

1) Dans quel établissement enseigne Mademoiselle Chantal ?

A) A l'université de Lyon
B) A l'école Elémentaire Louise
C) Au collège
D) A l'école Primaire Cavenne de Lyon

2) Quelle est la profession du Père du petit Franklin ?

A) Ministre de l'éducation
B) Médecin
C) Professeur de français
D) Policier

3) Comment s'appelle l'unique frère du petit Franklin ?

A) Charles
B) Jean-Marie
C) Christophe
D) Cédric

4) En quoi consiste la tradition familiale qui est chère à la famille de Franklin ?

A) Aller passer la fête de Thanksgiving dans un hôtel du Canada
B) Aller rendre visite à ses grands-parents tous les dimanches sans exception
C) Toute la famille passe la fête de Noël avec les grands-parents

D) Offrir des cadeaux pour la fête de la Saint-Sylvestre à leurs parents

5) Comment s'appellent les tantes du petit Franklin ?

A) Monique et Claudia
B) Nadège et Claudia
C) Pauline et Monique
D) Hortense et Corinne

Les réponses - Chapitre 1

1. D
2. B
3. B
4. C
5. A

Chapitre 2 : La nourriture

Aujourd'hui madame Clarence décide de faire réviser à ses élèves leurs connaissances sur les **aliments** que nous consommons au quotidien. Pour mieux se faire comprendre, elle divise l'**activité** en 4 rubriques à savoir : les fruits, les légumes, la viande et les céréales. Regroupés autour de chaque table, Marcos, Nina, Olive et le reste de la classe sont **impatients** de présenter à tour de rôle un aliment de leur choix.

Pendant que Line, qui n'avait pas pris son **petit-déjeuner**, avait très **faim** et boudait dans son coin. La maîtresse se rapproche d'elle et lui demande gentiment de partager avec la classe ses connaissances sur les fruits. C'est ainsi que Line se lève avec un **sourire** aux lèvres et passe à l'avant de la salle de **classe** face à ses camarades.

Aliment : Food
Activité : Activity
Impatient : Impatient
Petit-déjeuner : Breakfast
Faim : Hungry
Sourire : Smile
Classe : Classroom
Camarades de classe : Classmates

Line : D'habitude j'accompagne ma maman au marché de **fruit**s. Sur les **étalages,** on y trouve des **banane**s, des **ananas**, des **oranges**, des **papayes**, des **mandarines**, des **goyaves**, des **pastèques**, **des mangues**, et plein d'autres fruits. Ma maman me dit toujours que les fruits sont très importants pour notre organisme et nous devons en consommer le plus possible. Après les repas, ma famille et moi prenons toujours des fruits. Mon **grand-père** Charlie nous dit souvent que les fruits facilitent la digestion et permettent de garder le **corps** en bonne santé. Moi particulièrement, j'aime les oranges. C'est mon fruit préféré.

Fruit : Fruit

Etalage : Display

Banane : Banana

Ananas : Pineapple

Orange : Orange

Papaye : Pawpaw

Mandarine : Tangerine

Goyave : Guava

Pastèque : Watermelon

Mangues : Mangoes

Grand-père : Grand father

Corps : Body

Acclamée par tous les élèves, c'est avec assurance que Line rejoint sa place. Madame Clarence n'est pas au bout de sa surprise, quand Marcos qui est un élève peu bavard lève son index.

Madame Clarence : Oui, Marcos, c'est à ton tour ! Peux-tu nous parler des légumes que tu connais ?

Marcos : Ma sœur pauline et moi habitons chez tantine Gisèle. Chaque weekend, nous allons à la ferme **récolter** les **légumes**. Il y en a de toutes sortes. Avec Pauline, nous apprenons à entretenir le jardin sous le regard attentif de tantine Gisèle. A notre dernière cueillette, nous avons récolté des **carottes**, des **poivrons**, des **courgettes**, des **tomates**, et des **oignons**. Tante Gisèle nous demande toujours de bien entretenir le **jardin** si nous voulons continuer à récolter plus de légumes. Ma sœur pauline aime manger les carottes parce que tante Gisèle dit que c'est bon pour les yeux.

Madame Clarence : Bravo Marcos dit l'enseignante ! Tu nous as éclairés sur les légumes. Nina, as-tu quelque chose à ajouter pour notre activité ?

Récolte : Harvest
Légume : vegetable
Carotte : Carrot
Poivron : Green pepper
Courgette : Courgette

Tomate : Tomato

Oignon : Onion

Jardin : Garden

Nina : Oui madame, j'aimerais bien parler des céréales. Moi j'adore les **céréales** ! Mon papa me garde toujours un paquet de **biscuits** à son retour du travail, il dit que nous les enfants nous avons besoin des céréales pour grandir. Mon petit frère Michel est très d'accord avec notre père. Chaque dimanche, à la sortie de l'église, nous faisons un tour au supermarché du quartier pour acheter des **biscuits**, des **galettes**, du **pain**, des **gâteaux**... Monsieur Alain le gérant dit que les céréales sont faites à base de **maïs**, de **sorgho**, de **mil**, d'**orge**, de riz, de l'avoine et même de **blé.**

Céréale : Cereal

Biscuit : Biscuit

Galette : wafer

Pain : Bread

Gâteaux : Cakes

Maïs : Corn

Sorgho : Sorghum (Cereal in warm regions)

Mil : Millet (tropical cereal)

Orge : Barley

Riz : Rice

Blé : Wheat

Madame Clarence n'en revient pas : tous ses élèves sont plus qu'informés sur l'objet de la leçon. Mais néanmoins il en reste une rubrique.

Madame Clarence : Olive, peux-tu nous dire de quelle rubrique il s'agit ?

Olive : Madame, il s'agit de la viande. La viande est importante pour notre croissance. Ma maman nous en prépare dès qu'elle en a l'occasion. Il existe deux types de **viande** : La viande à la chair rouge et la viande à la chair blanche. Mon oncle Célestin le diététicien dit qu'il est préférable de consommer la viande à la chair blanche ; comme la **volaille**, le **lapin**; le porc ...C'est pourquoi ma famille organise des **barbecues** à la fin de chaque semaine. Humm !!!! J'aime bien la viande grillée, elle est **délicieuse**. Grand-père et grand-mère nous conseillent d'en manger parce que la viande donne plus de force et de vitamines.

Madame Clarence : Bon les amis, c'est tout pour aujourd'hui demain nous verrons un autre sujet. Je suis très fière de vous parce que tout le monde a fait l'effort de participer à l'activité.

Viande : Meat
Volaille : Poultry

Lapin : Rabbit

Barbecue : Barbecue

Délicieuse : Delicious

Des questions - Chapitre 2

1) De quoi parle l'activité de Madame Clarence ?

A) De la danse
B) De la pêche
C) Des aliments
D) Des écoles

2) Quel est le fruit préféré de Line ?

A) La papaye
B) Les oranges
C) Les goyaves
D) Les mandarines

3) Où est-ce que Marcos et sa sœur Pauline passent souvent les weekends ?

A) A la ferme
B) En ville
C) Hors du pays
D) A la campagne

4) Où va souvent Nina à la sortie de l'église ?

A) A l'école
B) A la ferme
C) Au supermarché
D) Au zoo

5) Pour Célestin, le diététicien dit qu'il est préférable de manger quel type de viande ?

A) La viande à la chair noire
B) La viande à la chair rouge
C) La viande à la chair jaune
D) La viande à la chair blanche

Les réponses - Chapitre 2

1. C
2. B
3. A
4. C
5. D

Chapitre 3 : Les Vêtements

C'est bientôt les **vacances** ! Lola et sa famille décident d'aller les passer chez tante Odile dans le Sud de la France, plus précisément à Marseille. **Ville touristique**, de par sa proximité avec les chaînes montagneuses, Marseille est un lieu calme et très accueillant. Tante Odile est une bonne pâtissière. Mariée à un fermier, elle n'a pas eu la chance de faire des enfants. Lola est très impatiente de s'y rendre accompagnée de son frère Rich et de sa petite sœur Joane. Les enfants sont impatients de goûter aux gâteaux de leur tante. A cette occasion, Madame Claude amène les tout petits faire des achats dans la **boutique** qui se trouve à quelques pâtés de la maison. Le printemps tire bientôt à sa fin, c'est l'occasion de changer de **garde-robe**. L'été sera de retour dans quelques jours, il faut bien **s'habiller** selon les **saisons.**

Vacances : Holidays
Ville touristique : Tourist town
Boutique : Shop
Garde-robe : Wardrobe
S'habiller : Get dressed
Saisons : Seasons

Le samedi est un jour de libre pour toute la famille. Madame Claude amène les enfants faire les **courses**. La boutique est grande et bien **décorée**, la famille est accueillie par Donald l'un des **gérants**. C'est un monsieur calme et toujours souriant. Cela fait des années qu'il fait le même travail. Les enfants l'aiment bien car ce dernier est toujours attentionné.

Donald : Que puis-je faire pour vous mes amis ?

Surexcité, Rich s'écrie !

Rich : Nous souhaitons acheter de nouveaux habits pour un voyage.

Donald : Avez-vous une idée du type de **vêtemen**t que vous voulez ?

Rich : Nous allons passer une partie de **l'hiver**, le **printemps** et l'**été** chez notre tante Odile et son mari Henri. Monsieur Henri je l'aime bien parce qu'il est gentil. Ils nous laissent souvent visiter la ferme. Et dès qu'il a du temps, il nous amène monter les chevaux avec de drôles de **bottes** ; c'est très amusant !

Joane : Pouvez-vous, s'il vous plaît, nous aider dans le choix de vêtements ?

Course : Shopping
Décoré : Decorated
Gérant : Manager
Vêtement : Clothes
Printemps : Spring
Eté : Summer
Hiver : Winter
Bottes : Boots

Donald explique qu'au printemps, il est recommandé de porter des habits pas trop légers ni trop épais. Ce dernier présente une collection de polo et de **tricot** simple, qu'on peut enfiler facilement dans un **pantalon** jeans ou dans une longue **jupe** coton pour une balade. Il précise également qu'on peut ajuster la **tenue** avec **jaquette**.

Rich penche plutôt pour les polos et les pantalons jeans. C'est plus simple et plus facile à porter, dit-il. Lola qui hésite devant de belles **couleurs** finit par choisir plusieurs longues jupes de différentes couleurs (**jaune, orange** et **rose**), qu'elle mettra avec des **chemisiers** aux couleurs vives. C'est la couleur qui fait la **tendance** en ce moment pense-t-elle. Quant à Joane, le choix n'est pas aussi simple ! Elle préfère plutôt des tenues fleuries aux couleurs du Printemps.

Tricot : Undershirt
Pantalon : Trouser
Jupe : Skirt
Tenue : Outfit
Jaquette : Jacket
Couleur : Color
Jaune : Yellow
Orange : Orange
Rose : Pink
Chemisier : Blouse
Tendance : Fashion

Pour ce qui est de l'été, Donald conseille de s'habiller léger. Porter des **robes** à courtes manches est la meilleure façon d'être en harmonie avec le **soleil**. Un tricot simple enfilé dans une culotte ou une combinaison légère, porté(e) avec des sandales ferait l'affaire, dit-il. Donald ajoute également qu'on peut accompagner cet **habillement** avec un chapeau large bord. Ce dernier présente également des maillots de bain très tendances pour **bronzer** sous le soleil. Amoureux des **plages**, les enfants n'hésitent pas à pointer du doigt les jolis **maillots de bain** aux couleurs chatoyantes, assortis de **chapeaux**.

Robe : Dress
Soleil : Sun
Habillement : Clothing
Bronzer : Getting a suntan
Plage : Beach
Maillot de bain : Bathing suit
Chapeau : Hat

Joane qui ne pense qu'à faire du ski **en montagne,** à fabriquer des **bonshommes de neige** et à faire des batailles de **boules de neige**, incita le gérant à parler d'hiver. A pas très confiants, le gérant conduisit donc la famille dans un rayon tout au fond de la boutique. De là, on peut y trouver des **manteaux** avec **fourrure**, des pantalons velours, des pull-overs, des **blousons** de toutes les tailles et de toutes les couleurs. Il y a également des **écharpes**, des **gants**, des **bottes** pour plus se protéger contre le **froid**.

En montagne : In the mountains
Bonhomme de neige : Snowman
Boules de neige : Snowball
Manteau : Coat
Fourrure : Fur
Blouson : Jacket
Écharpes : Scarf
Gants : Gloves
Botte : Boot
Froid : Cold

Les enfants sont **émerveillés** devant ce beau spectacle, il ne reste qu'à chacun de faire son choix. Madame Claude profite aussi de cette occasion pour faire un **cadeau** à tante Odile. Un manteau avec fourrure ira bien à sa sœur. Les enfants n'hésitent pas à porter leur choix sur les gants, les manteaux, les collants, les **bonnets** et les écharpes.

De retour à la maison et très satisfaite de leurs courses, la famille attend le départ en **congés** avec impatience. Tante Odile sera contente de revoir ses **neveux** après deux ans d'absence.

Émerveillés : Amazed
Cadeau : Gift
Bonnet : Cap
Congé : Holiday
Neveux : Nephews

Des questions - Chapitre 3

1) Où est-ce que Lola et sa famille vont passer les vacances ?

A) A bordeaux
B) A Nice
C) A Marseille
D) A Chicago

2) Comment s'appelle le gérant de la boutique ?

A) Rich
B) Donald
C) Julien
D) Claude

3) Quel est le type d'habit que Madame Claude a offert à sa sœur ?

A) Une jupe
B) Une écharpe
C) Une culotte
D) Un manteau

4) Que rêve de fabriquer la petite Joane avec de la neige ?

A) Un bonhomme géant
B) Une case
C) Un vase
D) Un ballon

5) Depuis combien de temps tante Odile n’a elle pas vu ses neveux ?

A) 5 ans
B) 2 ans
C) 3 ans
D) 1 an

Les réponses - Chapitre 3

1. C
2. B
3. D
4. A
5. B

Chapitre 4 : Les Loisirs

C'est la **récréation** ! Flora, Prisca, Junior et François sont tout excités de parler de leurs **jeux** préférés. Ils prennent rapidement leur **goûter** et se retirent dans un coin de la cour : c'est le moment de parler des choses **amusantes**. Vêtu d'un polo blanc et d'un pantalon bleu, junior est pressé de prendre la parole en premier pour **épater** ses **amis**.

Récréation : Break
Jeu : Game
Le goûter : The taste
Amusant : Fun
Épater : Impress
Amis : Friends

Junior : Mon jeu préféré est le football. C'est mon **passe-temps** favori ! Je rêve de devenir un jour footballeur comme Zidane, qui est pour moi le meilleur **joueur** de tous les temps. J'ai d'ailleurs un ballon de football **dédicacé** par Zidane. C'est mon meilleur compagnon, je l'emporte partout où je vais ! Mon papa m'a inscrit dans un **club de football** où je m'**entraîne** deux fois par semaine. Pour le moment je n'ai pas l'autorisation d'aller au **stade** pour voir les matchs en direct; ma maman me répète tout le temps que je suis encore trop petit pour cela. Mais les week-ends, je regarde des matchs de football à la télévision avec mon papa. C'est l'occasion pour moi de retenir quelques astuces de mes **joueurs préférés**. J'aime être milieu de terrain, cela me permet de mieux organiser le jeu avec mes équipiers. Je trouve que le foot est l'un des meilleurs sports du monde. Il permet non seulement de maintenir notre corps en bonne santé, mais aussi le football nous donne l'occasion de faire la rencontre d'autres amis. Je rêve de devenir un joueur professionnel plus tard pour jouer avec les plus grandes vedettes du football. Je jouerai à tous les matchs et je serai désigné meilleur joueur et meilleur buteur dans tous les championnats.

Passe-temps : Hobby
Joueur : Player
Dédicacé : Signed
Club de football : Football Club
Entraîner : Practice
Stade : Stadium
Préféré : Favorite players

Bluffé, François qui est également un grand fan de football s'exclame.

François : Super ! J'aime également le football mais quand je serai grand, j'aimerai devenir un cycliste international. Je suis passionné par le cyclisme. J'adore **pédaler** sur le **vélo**. Chaque week-end, mon grand frère et moi allons sur la **piste** faire du vélo. C'est un jeu très **passionnant** parce qu'il me donne l'impression d'être le plus **rapide** du monde. J'aimerais être comme Jérémy Roy, c'est l'un des meilleurs cyclistes en France. A chaque fois qu'on organise une compétition, je ne rate jamais l'occasion de suivre de près mon cycliste préféré. J'ai toute une **collection** de vélos dans ma chambre, je la garde très **jalousement**. Si vous voulez, je vous ferai voir ma collection, c'est trop génial. Et toi alors Flora ? C'est ton tour à présent.

Pédaler : Pedal
Vélo : Bicycle
Piste : Track
Passionnant : Exciting
Rapide : Fast
Collection : Collection
Jalousement : Jealously

Flora : J'aime beaucoup l'**art,** et **dessiner** est ma manière de m'exprimer et de m'amuser. Il faut dire que je suis douée quand il s'agit de réaliser des **dessins** artistiques. J'ai toujours un **cahier de dessin** et des **crayons de couleur** dans mon sac. Il m'arrive souvent de faire des **portraits** de ceux que j'aime. La semaine passée, maman et papa ont fêté leur l'anniversaire de mariage. Comme **cadeau,** je leur ai offert leur propre portrait que j'avais soigneusement réalisé pendant un mois entier. C'était la joie à la maison, mes parents étaient fiers de moi.

L'art : Art
Dessiner : Draw
Dessiner : Draw
Cahier de dessin : Drawing notebook
Crayons de couleur : Coloring pencils
Portrait : Portrait

Cadeau : Gift

Flora : En plus de l'art, je suis une passionnée de **cuisine**. Je me joins de temps en temps à ma maman quand elle nous **prépare** le repas. Enfin, je passe mes week-ends à préparer des **gâteaux** que j'offre à grand ma et à grand pa.

Tout émerveillés d'entendre cela, les amis de Flora lui demandent de leur préparer un gâteau dès le **lendemain**.

Cuisine : Kitchen
Prépare : Cook
Gâteaux : Cakes
Lendemain : The day after tomorrow

Prisca est la dernière à prendre la parole avant que la récréation ne se termine. Toute émue, elle dit à ses camarades qu'elle adore la **coiffure** et le **voyage**. Pour elle, faire de la coiffure est non seulement une passion, mais également un exemple de métier.

Prisca : Depuis toujours je m'intéresse, aux **magazines de mode** et aux coiffures. Ma **poupée** princesse Sarah me sert de jouet pour essayer tous les modèles que je vois ici et là. Chaque fois que j'en ai l'occasion, je n'hésite pas à partir en voyage avec mes parents. En effet, j'adore **voyager**, découvrir de **nouveaux pays** et faire de **nouvelles connaissances**. Je tiens ce goût de l'**aventure** de mon papa.

Quelques minutes après les derniers mots de Prisca, les enfants entendent la sonnerie, c'est la fin de la récréation. Tous heureux, ils se dirigent à pas lents dans leur salle de classe.

Coiffure : Hairstyle
Voyage : Trip
Magazines de mode : Fashion magazines
Poupée : Doll
Modèles : Models
Voyager : Travel :
Nouveaux pays : New countries
Nouvelles connaissances : New knowledge
Aventure : Adventure

Des questions - Chapitre 4

1) Le texte parle de combien d'élèves ?

A) 10
B) 7
C) 4
D) 6

2) Quel est le joueur préféré de Junior ?

A) Lionel Messi
B) Christiano
C) Zidane
D) Neymar

3) Quel est le jouet préféré de François ?

A) La poupée
B) Le vélo
C) La voiture
D) Le ballon

4) Qu'est-ce que Flora aime apporter les week-ends à ses grands-parents ?

A) Les gâteaux
B) Des frites de plantain
C) La salade de fruits
D) Des bouquins de broderie

5) Quelle est l'activité que Prisca aime faire avec son papa ?

A) Aller au cirque
B) Suivre des émissions de télévision
C) Faire des gâteaux
D) Les voyages

Les réponses - Chapitre 4

1. C
2. C
3. B
4. A
5. D

Chapitre 5 : L'école

Mademoiselle Clotilde est enseignante à **l'école maternelle** Sainte Anne de Lyon. Elle a été invitée à participer à un **conseil de classe** en présence des parents des élèves et de la directrice de l'école. Le but de ce conseil de classe est d'expliquer aux parents d'élèves quelles sont les **matières** qui seront enseignées aux **enfants**, les méthodes utilisées ainsi que les **objectifs** visés.

L'école maternelle : Kindergarten
Conseil de classe : Class council
Matières : Subjects
Enfants : Children
Objectifs : Objectives

Le conseil a débuté à 9H00 précises dans la salle de réunion de l'école. Après la présentation de chaque parent, la directrice a commencé par rappeler à tous les objectifs du gouvernement en ce qui concerne ce cycle spécifique. La mission principale du **cycle de maternelle** (non-obligatoire) est de cultiver dans le cœur et l'esprit des enfants l'envie de se rendre à l'école pour **apprendre**, **développer**, **affirmer** et davantage **épanouir leur personnalité**.

Cycle de maternelle : Maternal cycle
Apprendre : To learn
Développer : To develop
Affirmer : To affirm
Épanouir leur personnalité : To develop their personality

Par la suite, la directrice donne la parole à Mademoiselle Clotilde qui explique à l'assemblée que le programme de maternelle est développé sur 5 axes.

Mademoiselle Clotilde : Le premier objectif est d'aider les tout-petits à bien **parler** et à **écrire correctement** sans l'aide de personne. Pour mener à bien cet objectif, les enfants apprennent des **récitations**, des **chants** et les formes de politesse comme « bonjour, **bon après-midi**, **bonsoir**, bon appétit, **comment as-tu dormi** ? merci, au revoir, bonne nuit ». Pour l'écriture, les enfants disposent de **feuilles de papier**, des **crayons** et des **gommes** qui leur permettent de s'exprimer.

Parler : To speak
Ecrire correctement : Write correctly
Récitations : Recitations
Chants : Songs
Bon après-midi: Good afternoon
Bonsoir: Good evening
Comment as-tu dormi? : How did you sleep?
Feuilles de papier : Sheets of paper
Crayons : Pencils
Gommes : Erasers

Mademoiselle Clotilde : Le deuxième objectif est d'aider les enfants à mieux comprendre le bien-fondé du **sport**. Les enfants auront de petites activités sportives qu'ils vont mener tout en continuant à **s'amuser**.

Ils apprennent ainsi à **courir**, **lancer**, **sauter**, quitter d'un endroit à un autre en suivant des **consignes**. Les jeux de ronde ainsi que des jeux de petits parcours vont les aider à bien mesurer les **distances** et à éviter les **obstacles**.

Sport : Sport
S'amuser: Enjoy
Courir : To run
Lancer : Throw
Sauter : Jump
Consignes : Instructions
Distances : Distances
Obstacles : Obstacles

A l'école maternelle, on apprend également aux enfants l'art : **dessin**, musique, sculpture, **peinture,** photographie**, bande dessinée, cinéma** ... ils ont à leur disposition des **planches de dessin**, des **pinceaux**, des **toiles** et de la peinture (non-salissante) pour **peindre**. Pour ce qui est de l'activité musicale, plusieurs instruments sont disponibles comme le **piano**, la **guitare**, la **batterie** ou encore le **saxophone**. Chaque élève est libre de choisir l'instrument qu'il désire apprendre à jouer.

Dessin : Drawing
Peinture : Painting
Bande dessinée : Comics
Planches de dessin : Drawing boards
Pinceaux : Paint brushes
Toiles : Canvas

Peindre : To paint
Piano: Piano
Guitare : Guitar
Batterie : Drums
Saxophone : Saxophone

Les **mathématiques** étant incontournables dans la vie, il a été jugé utile d'initier dès le bas âge nos petits bouts de chou aux notions mathématiques. C'est ainsi qu'on apprend aux enfants à pouvoir distinguer les **formes géométriques** (**carré**, **rectangle**, **triangle**, **cercle**). Les enfants apprennent également à reconnaître progressivement les différents nombres un, deux, trois, quatre, cinq, six, sept, huit et neuf.

Mathématiques : Mathematics
Formes géométriques : Geometric shapes
Carré : Square
Rectangle : Rectangle
Triangle : Triangle
Cercle : Circle

Il existe des activités au cours desquelles les enfants doivent **construire** eux-mêmes des formes géométriques données avec du **papier** et du **scotch**.

Construire : To build
Papier : Paper
Scotch : Sticky-tape

Pour finir, la maîtresse a le devoir de raconter des histoires aux enfants. Ces histoires proviennent des livres au programme et portent sur différents thèmes : les **animaux**, la **géographie**, le **temps**...

Plusieurs activités complémentaires permettent aux enfants d'explorer le monde sous différents aspects. Ils pourront par exemple être en mesure de distinguer ce qui est **froid,** ce qui est **chaud**, ce qui est **mou** ou encore ce qui est **dur**. Ils ont également des activités dans lesquelles ils apprennent à connaître **les parties du corps humain**, les règles d'hygiène (**se laver les mains** avant de manger, se **brosser les dents** avant de dormir, se laver deux fois par jour...) et à savoir quand et comment les appliquer. On leur apprend aussi à reconnaître les différentes saisons (**automne**, **hiver**, **printemps** et **été**).

Animaux : Animals
Géographie : Geography
Temps : Weather
Froid : Cold
Chaud : Hot
Mou : Soft
Dur : Hard
Parties du corps humain: Parts of the human body
Se laver les mains : Wash hands
Brosser les dents : Brush teeth
Automne : Fall
Hiver : Winter

Printemps : Spring
Eté : Summer

Des questions - Chapitre 5

1) Laquelle de ces propositions est une formule de politesse ?

A) Non je ne veux pas !
B) Assieds-toi ici !
C) Merci
D) Donne-la moi

2) Quel est l'outil utilisé pour écrire ?

A) Une guitare
B) Un piano
C) Une marmite
D) Un Stylo

3) Laquelle de ces propositions n'est pas un instrument de musique ?

A) Stylo
B) Guitare
C) Saxophone
D) Tambour

4) Laquelle de ces propositions est incorrecte ?

A) On apprend aux enfants à reconnaître les formes géométriques
B) On apprend aux enfants à compter
C) On apprend aux enfants à être polis
D) On apprend aux enfants à allumer un ordinateur

5) Laquelle de ces propositions n'est pas une des 4 saisons ?

A) Le printemps
B) La neige
C) L’automne
D) L’hiver

Les réponses - Chapitre 5

1. C
2. D
3. A
4. D
5. B

Chapitre 6 : Des endroits

C'est les vacances d'été et la petite Clara, âgée de 8 ans, est allée passer cette période chez sa tante Elisabeth qui est mariée et mère de plusieurs enfants.

Ça fait trois jours qu'elle est arrivée et elle s'amuse beaucoup avec ses cousins Patrick et Sandrine. Le soir, Clara dit à sa tante que ses cousins et elle aimeraient profiter des jours qui leur restent pour **se balader**, **visiter** beaucoup d'**endroits** et se fabriquer des **souvenirs.**

Se balader : To walk around
Visiter : To visit
Endroits : Places
Souvenirs : Memories

Après avoir pris leur dîner, les enfants et Elisabeth s'assoient tous au salon et la discussion peut commencer.

Pour commencer, Elisabeth leur demande quels sont leurs hobbies.

Clara prend la parole en premier pour répondre. Elle est passionnée par la photographie et les animaux. Patrick est un passionné de football, tandis que Sandrine aime la mode et les vêtements.

Après avoir réfléchi pendant quelques minutes, Elisabeth trouve une solution pour satisfaire tout le monde. Elle propose aux enfants d'étaler un programme sur une semaine. Pendant ces jours, ils iront visiter plusieurs lieux.

En allant au **zoo**, les enfants pourront vivre une très belle expérience en voyant de leurs yeux les **animaux** qu'ils ne voient souvent qu'à la télévision. Ils pourront en profiter pour faire des **photos** qu'ils garderont en souvenir de cette sortie.

Zoo : Zoo
Animaux : Animals
Photos : Photos

Le **manège** est un lieu qui plaira sûrement beaucoup aux enfants, se dit Elisabeth. Effectivement, le manège est un lieu de détente où les enfants peuvent faire de nombreuse connaissances, s'amuser, jouer et rigoler. Ils profitent de cette occasion pour s'épanouir pleinement et vivre des moments inoubliables.

Aller dans un **stade de football** pour une rencontre du **championnat** local est une bonne idée à condition que les enfants promettent de rester **sages**. En effet, l'intérieur du stade est rempli d'**adultes** qui n'hésitent pas à sauter ou faire des gestes brusques durant le **match**. Il est vrai que ce sont des sensations tout à fait uniques que de vivre un match en direct au stade, à condition d'être sages. Les enfants sautent de **joie** et promettent de rester sages comme des images.

La dernière proposition de sortie, c'est d'aller faire des achats dans les **supermarchés** pour y acheter de la nourriture, des jouets et faire un tour dans les **boutiques de vêtements**.

Manège : Attraction
Stade de football : Football stadium
Championnat : Championship
Sages : Wise
Adultes : Adults
Match : Match
Joie : Joy
Supermarchés : Supermarkets
Boutiques de vêtements : Clothing stores

C'est alors que le lendemain, ils sont tous allés dans un parc pour y passer l'après-midi sous un **beau soleil**. Les enfants ont pu jouer avec des camarades qu'ils ont rencontrés. Ils sont tellement contents qu'ils donnent plein de bisous à leur tante Elisabeth.

Ensuite, ils se rendent en ville pour faire des achats dans des **magasins**. C'est un coup de cœur pour Sandrine. Ses yeux sont émerveillés face à tous les vêtements qu'elle a devant ses yeux. **Habits**, **poupées**, **chaussures, jouets** ... autant de merveilles qu'ils ont la joie de contempler. Malheureusement il n'est pas permis de prendre des photos à l'intérieur des magasins.

Beau soleil : Beautiful Sun
Magasins : Stores
Habits : Clothes

Poupées : Dolls
Chaussures : Shoes
Jouets : Toys

Samedi est un jour de libre pour les enfants. Leur papa ne travaillant pas le week-end, toute la famille est allée au **cirque** et les enfants ont pris des photos avec des **clowns** qui les ont fait rire tout le long de l'évènement. Après cela, ils sont tous allés voir un match du championnat de France de football Ligue 1. Les **vibrations** du **stade**, les **cris** et les **chants** des **supporteurs** ainsi que les actions de jeu de chaque équipe ont rempli d'émotions les enfants.

Cirque : Circus
Clowns : Clowns
Vibrations : Vibrations
Stade : Stadium
Cris : Shout
Chants : Song
Supporteurs : Supporters

Le Dimanche, ils sont tous allés à l'**église** pour la messe de 8h00. Après la célébration, ils se sont rendus au pied de la **tour Eiffel** pour visiter ce monument historique. Après c'est le tour de l'**Arc du Triomphe.** La journée s'est achevée chez le glacier. Les enfants ont pris chacun une **glace** avec de petits gâteaux. Clara a pris une glace au chocolat, Prisca a pris une glace à la fraise et Patrick a choisi une glace à la framboise.

Église: Church
Tour Eiffel : Eiffel Tower
Arc du triomphe : Arc de Triomphe
Glace : Ice cream

Quand les **vacances** sont arrivées à leur terme, la petite Clara a été obligée de regagner la maison familiale. Son papa est venu la chercher et elle a laissé ses cousins tout tristes de la voir partir.

Une fois rentrée à la maison, Clara s'est empressée de raconter ses vacances et toutes ses aventures à ses parents. Elle est tellement émue et joyeuse en leur montrant les **photos** de leurs aventures. Les parents de la petite Clara sont ravis de voir leur fille aussi contente et joyeuse.

Vacances : Holidays
Photos : Pictures

Des questions - Chapitre 6

1) Chez qui Clara est-elle allée passer ses vacances ?

A) Chez sa tante
B) Chez ses grands-parents
C) Chez sa maîtresse
D) Chez ses camarades de classe

2) Dans quel endroit Patrick aimerait passer du temps ?

A) Au Cirque
B) Dans la cuisine
C) Dans un stade de football
D) Dans un zoo avec les animaux

3) Quel est le jour où toute la famille est sortie s'amuser ?

A) Lundi
B) Mardi
C) Jeudi
D) Samedi

4) Dimanche, la famille s'est rendue à la messe de quelle heure ?

A) 8h00
B) 10h00
C) 18h00
D) 06h30

5) Quel est le souvenir que Clara a gardé de ses vacances ?

A) Des bonbons
B) Des photos
C) Des gâteaux
D) Un petit chat

Les réponses - Chapitre 6

1. A
2. C
3. D
4. A
5. B

Chapitre 7 : La Maison

C'est le dernier jour de classe, la petite Lana est très impatiente de rentrer à la **maison**. Ses camarades, tous curieux, veulent bien savoir ce qui la rend si heureuse. Charli qui ne peut plus attendre se lance le premier :

Charli : Aller ! Lana parle nous, pourquoi es-tu si contente ce matin ?

Lana constatant l'impatience de ses amis finit par se résigner à partager sa joie.

Lana : Je suis très contente aujourd'hui parce que ma famille et moi avons **emménagé** dans une **nouvelle** maison. Elle est **grand**e et si **jolie**.

Bruno : Ah bon ? Réplique une fois le petit Bruno, vous allez partir de Toulouse ? Et tes études alors ? Qu'en est-il de tes amis ? Tu vas bientôt nous quitter ?

Lana : Mais non ne sois pas vilain comment pourrais-je abandonner mes études et mes amis ? Notre nouvelle maison est juste à quelques pâtés de l'**ancienne**.

Rassurés, les amis de Lana lui demandent de leur parler de sa nouvelle maison.

Lana : C'est compris vous avez gagné, par où vais-je commencer ? Je sais, par la **façade** avant.

Maison : House
Emménagé (dans) : Moved (into)
Nouvelle : New
Grande : Large
Jolie : Nice
Ancienne : Old
Façade : front / outward appearance

Lana : La vue de face est **magnifique**, la cour est bordée de **gazon**, on y trouve quelques **arbres**, une partie de la **clôture** est recouverte de **fleurs**. Un peu plus loin à droite se trouve la **piscine**. J'adore la nage, tous les week-ends je vous inviterai chez nous et on pourra **nager** autant de fois que nous le voulons. Et juste à droite se trouve un espace réservé pour les **barbecues**. L'allée principale est longée de fleurs jusqu'à la **véranda**. On y trouve des **balustres** qui encadrent la véranda, soutenue, par de grandes poutres. Notre **porte centrale** est faite en vitre ce qui laisse passer la lumière du jour.

Magnifique : Beautiful
Gazon : Lawn
Arbre : Tree
Clôture : Fence
Fleur : Flower
Piscine : Pool
Nager : Swim
Barbecue : Barbecue

Véranda : Veranda
Balustre : Rail
Porte centrale : Main door

Lana : J'aime bien cette **pièce**, elle est la plus **grande** de la maison. Dedans, on voit de beaux **rideaux** sur les cadres des **portes** et des **fenêtres**. La **peinture** me plait tout autant que les **fauteuils**, ils arborent tous la même couleur.

Bruno : Et de quelle couleur sont vos fauteuils ?

La couleur de nos fauteuils est vert pastel, de même que les rideaux. Le **plafond** est tout blanc ça me rappelle tout le temps les boules de neige. Du haut du plafond pendent 4 grandes ampoules qui éclairent suffisamment la maison dans la nuit. Au milieu de la pièce se trouve une **grande cheminée**. Nous y passons souvent des hivers sévères par conséquent la cheminée est là pour apporter plus de **chaleur** dans la maison. A droite du **salon** se trouve la salle à manger.

Pièce : Room
Grande : Large
Rideau : Curtain
Porte : Door
Fenêtre : Window
Peinture : Paint
Fauteuil : Armchair
Plafond : Ceiling
Grande cheminée : Large fireplace
Chaleur : Heat

Salon : Living room

Lana : A droite du salon se trouve la **salle à manger**, c'est la pièce que je préfère après ma chambre. Elle est **rectangulaire**, et au milieu de la pièce se dresse une **longue table** faite en **bois**. C'est une table de 6 personnes. Mon papa le **chef** de la maison aime bien s'asseoir au bout et à l'autre bout ma maman s'y trouve. Vous comprenez que papa et maman sont assis l'un face à l'autre. Et des deux côtés de la table s'asseyent les enfants. Chaque enfant a sa chaise. La mienne est juste à côté de celle de ma mère. Les **chaises** sont recouvertes de **mousse**, on pourrait y passer toute la journée assis. Tout au fond de la **salle,** il y a une grande fenêtre qui sépare la salle à manger de la cuisine. C'est par là que passent les **délicieux plats** de nourriture que nous prépare maman avec amour.

Charli : Parle nous de la cuisine, est-elle comme l'ancienne ?

Lana : Pas vraiment ! La nouvelle cuisine est plus grande et **moderne**.

Salle à manger : Dining room
Rectangulaire : Rectangular
Longue table : Long table
Bois : Wood
Chef : Head
Chaise : Chair
Mousse : Foam
Délicieux : Delicious

Plats : Dishes
Moderne : Modern

La cuisine est la pièce où **maman** passe la plus grande partie de son temps. Elle n'est pas très grande, mais il y règne de la bonne **humeur**. Les placards recouvrent tous les **murs**, et sont la plupart du temps bien rangés. A l'intérieur sont classés les **assiettes**, les **plats**, les **fourchettes**, les **poêles**, les **marmites** et bien d'autres choses utiles à la cuisine.

Lili : Et qu'en est-il des chambres ?

Lana : J'y arrive !

Maman : Mummy
Humeur : Mood
Assiettes : Dishs
Plats : Plates
Mur : Wall
Fourchette : Fork
Poêle : Stove
Marmite : Pots

Lana : Les **chambres** sont de part et d'autre du couloir qui longe jusqu'au salon. La première chambre à **droite** est celle de mon **grand frère** Luc, elle est assez grande. Au fond de sa chambre se trouve un placard ? et sa fenêtre donne sur la **piscine**. Tout en face se trouve ma chambre. Humm !!!! j'adore ma chambre elle est la mieux **décorée**. Les murs sont de couleur **rose bonbon**. Moi-même je la décore à mon goût avec des **dessins**. Mon placard est aussi grand que celui de mon frère et ma fenêtre donne sur le jardin. A côté de ma chambre se trouve celle de mes parents. Elle est la plus grande parmi toutes les chambres. Le placard est énorme et tout à côté du placard se trouve la **douche**.

Bruno : Si je comprends bien vous avez une seule douche !!!

Lana : Pas du tout, celle qui est dans la chambre de mes parents n'est pas utilisée par tout le monde. C'est uniquement pour papa et maman. Tout au fond du couloir se trouve la douche **familiale**. Elle est vaste, le carrelage me plait bien, la **baignoire** est **confortable**. Il nous arrive à mes frères et moi de nous disputer le premier tour de **bain**.

Lana : Voilà, je vous ai présenté ma nouvelle maison.

Charli : Génial !Je trouve que ta maison est superbe, il fait certainement bon de vivre dedans.

Lana : Tu le dis si bien, ma famille vit un grand bonheur, on n'en espérait pas mieux.

Chambre : Room
Droit : Right
Grand frère : Big brother
Piscine : Swimming pool
Décoré : Decorated
Rose : Pink

Bonbon : Candy
Dessin : Drawing
Douche : Shower
Familiale : Family
Baignoire : Bathtub
Confortable : Comfortable
Bain : Bath

Des questions - Chapitre 7

1) De quoi parle Lana ?

A) De la ferme
B) De l'école
C) De sa nouvelle maison
D) De la ville

2) Ou se trouve la grande cheminée ?

A) Dans la cuisine
B) Au salon
C) Dans la chambre
D) Dans la cuisine

3) Quelle est la forme de la salle à manger ?

A) Rectangulaire
B) Carrée
C) Ovale
D) Triangulaire

4) De quoi sont recouverts les murs de la cuisine ?

A) De plastique
B) De placards
C) De planches
D) De carreaux

5) Combien de salles de bain trouve-t-on dans la maison ?

A) 3 salles de bain
B) 2 salles de bain
C) 1 salles de bain
D) 4 salles de bain

Les réponses - Chapitre 7

1. C
2. B
3. A
4. B
5. B

Chapitre 8 : Le corps

Le petit Charles aura bientôt 4 ans. Il demande à ses parents la dernière console de jeux comme cadeau d'anniversaire. En effet, son anniversaire arrive dans une semaine exactement.

Maman : Charles, tu auras une console comme cadeau d'anniversaire à deux **conditions** :

Charles : Lesquelles ?

Maman : Premièrement tu dois me promettre d'être toujours **obéissant** ici à la maison comme à l'école, c'est d'accord ?

Charles : Oui maman, je te le promets. Et la seconde condition, c'est laquelle ?

Maman : Tu dois toujours être concentré à l'école et **étudier** tes leçons quand tu rentres des cours.

Charles : Maman tu n'as pas à t'en faire pour cela, je lis toujours mes leçons. D'ailleurs, si tu veux, tu peux prendre mes cahiers et vérifier si je dis la vérité.

Maman : Es – tu sûr Charles ?

Charles : Oui maman j'en suis certain !

C'est ainsi que Marie prend les **cahiers** de Charles et les feuillette. Elle tombe sur une leçon de sciences qui porte sur le corps humain, et décide de l'interroger dessus. Une occasion pour elle de savoir si le petit écolier est assidu en classe.

Anniversaire : Birthday
Conditions : Conditions
Obéissant : Obedient
Étudier : To study
Cahier : Notebook
Corps humain : Human body

Maman : Es-tu prêt ?

Charles : Oui maman, allons-y !

Maman : Cite-moi les parties du corps humain, ainsi que leurs rôles ?

Très enthousiaste, Charles court se tenir devant sa mère.

Charles : Les parties du corps humain sont; la tête, le tronc et les quatre membres. Tout en pointant du doigt, les parties de son corps, Charles parle avec assurance, il a bien étudié sa leçon.

Charles : La **tête**, C'est la partie la plus importante de notre corps. La maîtresse nous conseille de prendre soin de notre tête parce que c'est le moteur de notre **corps**. Elle se présente sous plusieurs formes:

Ovale, triangulaire, carrée... La majorité de mes camarades ont les **cheveux** de couleur **noire**, sauf mon voisin de banc. Ses cheveux sont plutôt blonds; j'aime bien la couleur **blonde** ça me fait penser aux rayons de soleil. La tête joue un grand rôle dans les études, elle me permet de mieux retenir mes leçons.

Tête : Head
Corps : Body
Cheveux : Hair
Noire : Black
Blonde : Blonde

Maman : Maintenant, peux-tu me dire quelles sont les autres parties qu'on retrouve sur la tête ?

Encouragé par ce joli compliment, Charles ne se fait pas prier. C'est alors qu'il tire sa petite sœur Laura sous ses pieds.

Charles : Maman regarde, sur la tête, en plus des **cheveux,** on peut voir le nez. Il nous permet de respirer et de sentir les odeurs. Tout en haut, nous avons les yeux, sans nos yeux on ne peut rien voir. Ceux de Laura sont de couleur bleue. Chez d'autres personnes, ils sont plutôt noirs, marron ou encore verts. A côté des **yeux**, on a les oreilles. Mon ami teddy dit que son frère a de très grandes **oreille**s. Ils sont aussi importants pour nous parce qu'ils nous permettent d'entendre tout ce que madame Olive dit. Quant à la bouche, personne ne peut s'en passer. Elle nous aide à manger et surtout on se sert d'elle mes amis et moi pour causer pendant la récréation. C'est elle qui me permet en ce moment de te répondre maman. La maman amusée a commencé à sourire légèrement.

Cheveux : Hair
Yeux : Eyes
Nez : Nose
Oreilles : Ears
Bouche : Mouth

Maman : Ok Charles, c'est bon. Maintenant cite les autres parties

Charles : Les **bras** sont les membres qui nous permettent de porter des choses, et plus ils sont gros et musclés, plus on pourra porter des choses lourdes. La maîtresse nous a dit que si on veut devenir **forts** et **musclés**, on doit bien manger et faire beaucoup de sport. Chaque être humain possède normalement 2 **mains** qui comportent 10 **doigts** au total. C'est grâce à eux que nous pouvons saluer des gens, se gratter le nez, se nettoyer les oreilles, dessiner ou encore écrire pour faire nos devoirs.

Bras : Arms
Fort : Strong
Musclés : Muscular
Mains : Hands
Doigts : Fingers

Charles : Plus nous avons de longues **jambes**, plus nous sommes grands en taille. Ces jambes portent les **pieds** qui nous permettent de rester debout, de marcher, de sauter ou encore de danser.

Jambes : Legs
Pieds : Feet

Maman : Dernière question pour toi: tu m'as cité les parties du corps, mais peux-tu me dire quel est l'élément qui les soutient et grâce auquel elles ne tombent pas toutes ?

Charles : Il s'agit de **la colonne vertébrale** maman. Le corps humain est composé de beaucoup d'**os** dont le plus long est la colonne vertébrale. Et l'ensemble des os du corps s'appelle le squelette.

La colonne vertébrale : Spine
Os : bones

Maman : Tu as été courageux **fiston**. Tu viens de me prouver que tu révises tes leçons et je suis très contente de toi.

Charles : Maman ça veut dire que j'aurai ma console n'est-ce pas ?

Maman : Ah ah ah okay je vais en parler avec ton papa.

Fiston : Son

Des questions - Chapitre 8

1) Pour quelle raison la maman de Charles vérifie s'il étudie ses leçons ?

A) Pour son cadeau de mariage
B) Pour son cadeau de Pâques
C) Pour son cadeau de Noël
D) Pour son cadeau d'anniversaire

2) Laquelle de ces propositions ne se trouve pas sur la tête ?

A) Les yeux
B) Les oreilles
C) La bouche
D) Les doigts

3) Quelle est la partie du corps qui nous permet de parler ?

A) La bouche
B) Le nez
C) Les pieds
D) Les yeux

4) Combien de doigts possède un être humain ?

A) 1
B) 6

C) 10
D) 11

5) Quel est l’os le plus long du corps humain ?

A) La colonne vertébrale
B) La main
C) L’os du bras
D) L’os qui se trouve dans le doigt

Les réponses - Chapitre 8

1. D
2. C
3. A
4. C
5. A

Chapitre 9 : Le Travail

Au cours d'une causerie éducative, Roméo, Laure et leurs camarades sont interrogés par leur maîtresse sur les **métiers** qu'ils aimeraient **pratiquer** quand ils seront plus grands. Ils ont participé à ce petit jeu avec beaucoup de joie et d'enthousiasme.

Les enfants ont donné plusieurs réponses intéressantes. La maîtresse choisit d'en garder 05 et d'expliquer en détail aux enfants en quoi consistent ces métiers et quelles études il faut suivre pour y parvenir.

La maîtresse : Tout d'abord, il faut savoir qu'avant de faire le choix d'un métier, il faudrait en être passionné. Lorsqu'on **travaille** sans amour pour son métier, on ne pourra jamais être excellent. Il est donc important d'avoir **une vocation** et de la **passion** pour ce qu'on fait pour réussir.

Métiers : Professions
Pratiquer : Practice
Travaille : Work
Vocation : Vocation / Calling
Passion : Passion

La maîtresse : Le métier d'enseignant est le métier le plus noble du monde, dit-elle avec un large sourire aux lèvres. Je suis très fière d'enseigner les enfants, et je vais vous expliquer pourquoi. Tout ce qu'on est et tout ce qu'on devient dans la vie plus tard, dépend des

études qu'on a reçues. La maternelle est la première phase de cet apprentissage. Notre rôle est de vous apprendre à lire, écrire, chanter, réciter, bien vous comporter à la maison mais aussi dans la **société**. En plus, il existe plusieurs degrés dans l'enseignement : il y a les **enseignants** de la maternelle, les enseignants du primaire, les **professeurs** des lycées et collèges et enfin les **professeurs d'université**.

Études : Studies
Société : Society
Enseignants : Teachers
Professeurs : Professors
Professeurs d'université : University professors

La maîtresse : Parlons maintenant des **médecins**. Un **docteur** est une personne qui travaille dans un **hôpital**, une **clinique** ou un **centre de santé.** Le but est de sauver des vies et de soigner les gens lorsqu'ils sont malades. Il existe plusieurs niveaux dans la **médecine** : **les sages-femmes**, **les infirmiers**, les médecins et **les chirurgiens.** Les chirurgiens sont ceux qui opèrent les patients. Parmi les spécialistes, on retrouve ceux qui s'occupent des yeux, des dents, du cœur, du cerveau, des oreilles... Tous s'habillent en **blouse blanche** ou encore dans des uniformes bleus ou blancs.

Médecins : Doctors
Docteur : Doctor
Hôpital : Hospital
Une clinique : A clinic

Un centre de santé : A health center
La médecine : Medicine
Les sages-femmes : Midwives
Les infirmiers : Nurses
Les chirurgiens : Surgeons
Blouse blanche : White blouse

La maîtresse : Les **sapeurs-pompiers** appelés encore soldats du feu sont les personnes qui luttent contre les **incendies** et qui **éteignent** le **feu**. Dans de nombreux cas, il arrive qu'ils sauvent des vies humaines. Pour devenir sapeur-pompier, il faut suivre une formation militaire avec une formation en **secourisme**.

Roméo : Madame, comment font-ils pour ne pas être touchés par le feu ?

La maîtresse : C'est une excellente question que vous posez les enfants. Les sapeurs-pompiers portent une tenue (combinaison) spéciale qui résiste au feu. En plus de cela, ils sont très forts et tout ceci leur permet de lutter efficacement contre le feu.

Sapeurs-pompiers : Firefighters
Incendies : Fire
Eteindre : To extinguish
Le feu : Fire
Secourisme : First aid

Roméo : Mon papa est **policier**. Madame, pouvez-vous en parler ?

La maîtresse : Bien-entendu ! Le métier de policier est très passionnant, puisqu'ils sont chargés de protéger la population. Il est facile de reconnaître un policier grâce à son uniforme. Mais il faut savoir qu'il existe une catégorie de policiers qui ne porte pas d'uniforme. Ce sont ceux qui **enquêtent** en silence. Afin de mener à bien leur **mission**, il ne faut donc pas qu'on puisse les reconnaître.

Policier : Policeman
Enquête : Investigation
Mission : Mission

La maîtresse : Vous connaissez sûrement les voitures de police n'est-ce pas ?

La classe : Oui Madame !!!

Roméo : La voiture de mon papa a des jeux de lumière rouge et bleue et la **sirène** qui crie wouuunn wouuuun wouuuun.

La maîtresse : Tout à fait ! vous connaissez bien les voitures de **police**. Pour devenir policier, il faut réussir au concours d'entrée à l'école de police et après, subir un entraînement militaire. Le rôle des policiers est d'arrêter les méchants qui volent dans les maisons et dans les boutiques, banques, de veiller sur la population, de diriger la circulation afin que les voitures puissent rouler normalement. Ils portent sur eux un **pistolet**, des **menottes** et un appareil pour arrêter les méchants.

Sirène : Siren
Police : Police
Pistolet : Gun
Menottes : Handcuff

La maîtresse : Avez-vous déjà entendu parler du métier d'avocat ?

La classe : Oui Madame !!!

Laure : Mon papa à moi est avocat, mais je ne comprends pas en quoi consiste son métier.

La maîtresse : Eh bien Laure, le métier d'**avocat** est un métier tout aussi passionnant que celui de policier. Leur rôle est de défendre d'autres personnes au tribunal et devant un **juge**. Le problème est que les avocats ne défendent pas toujours les innocents. Ils s'occupent aussi des personnes coupables, des **voleurs** et des **meurtriers** dans un tribunal. Les avocats portent tous une longue robe noire qu'on appelle **toge**. Pour entrer dans ce corps de métier, il faut faire des études de **droit**. Une fois finies, il existe plusieurs spécialités : **greffier**, avocat, juge, **procureur**…

Avocats : Lawyers
Juge : Judge
Voleurs : Thieves

Meurtriers : Murderers
Toge : Toga
Droit : Law
Greffier : Clerk
Procureur : Prosecutor

La maîtresse : Alors les enfants, j'espère que vous comprenez maintenant mieux les métiers que vous voulez exercer plus tard.

La classe : Oui madame !!!

La maîtresse : Il existe d'autres métiers très intéressants dans la vie comme **plombier**, **mécanicien**, **styliste**… plus vous grandirez, plus vous saurez avec certitude ce que vous voudrez faire dans la vie.

Plombier : Plumber
Mécanicien : Mechanic
Styliste : Stylist

Des questions - Chapitre 9

1) Laquelle de ces propositions est importante pour bien faire un métier ?

A) La passion
B) La paresse
C) Le sommeil
D) L'argent

2) Quel est le métier le plus noble du monde ?

A) Policier
B) Avocat
C) Enseignant
D) Pompier

3) Qu'est-ce qui protège les sapeurs-pompiers du feu ?

A) Leurs pouvoirs
B) Leurs combinaisons
C) Leur passion
D) Leur amour

4) Lequel de ces objets est l'arme d'un policier ?

A) Le chocolat
B) Les ciseaux

C) Un téléphone
D) Un pistolet

5) Où travaille un médecin ?

A) Dans un restaurant
B) Dans un hôpital
C) Au tribunal
D) Dans une école

Les réponses - Chapitre 9

1. A
2. C
3. B
4. D
5. B

Chapitre 10 : La Météo

Christian est un jeune-homme de 8 ans qui vit avec sa mère Séverine en province. Il fréquente dans une école privée de la classe où il est le plus brillant de la classe. Aujourd'hui, sa maîtresse leur a fait une leçon sur le **climat** et comme d'habitude, Christian s'empresse d'aller tout expliquer à sa maman. De retour à la maison, il fait part à sa maman du thème de la leçon. Cette dernière lui propose de se changer et de prendre une douche, puis d'en discuter après le dîner.

Après le repas, Christian demande à sa maman de lui parler des différentes **saisons.** Celle-ci lui retourne la question en lui demandant le nombre de saisons qu'il existe dans le monde.

Christian : Il existe quatre saisons qui durent chacune trois mois : l'hiver, le printemps, l'été et l'automne.

Toute émue, la maman s'exclame affectueusement avec un grand sourire.

Maman : Bravo mon chou ! C'est super, peux-tu m'en dire plus ?

Climat : Climate
Saisons : Seasons

Christian : La première saison de l'année c'est l'hiver. De décembre à mars, il fait très **froid.** En hiver, il y a de la **pluie** et la **neige**. Les **gouttes d'eau** qui tombent des **nuages** dans le ciel se transforment en neige. C'est en cette période qu'on peut fabriquer des bonshommes de neige ! La maîtresse nous enseigne aussi qu'en hiver, les **arbres** se reposent et n'ont plus beaucoup de feuilles. Leurs racines s'en vont chercher de l'eau dans le sol pour faire le plein d'**énergie**.

Froid : Cold
Pluie : Rain
Neige : Snow
Gouttes d'eau : Water drops
Nuage : Cloud
Arbres : Trees
Energie : Power

Maman : D'accord, quels sont les fruits et légumes qu'on trouve en hiver ?

Christian : Nous n'avons pas parlé de fruits et légumes en classe, maman.

Maman : Eh bien, les fruits de cette saison sont ; l'ananas, la grenade, l'avocat, les fruits de la passion, l'orange, le **citron**, la mandarine... Quant aux légumes, on peut facilement trouver les

carottes, les **choux**, **les citrouilles** ... Qu'a-t-elle dit d'autre, la maîtresse ?

Citron : Lemon
Carotte : Carrot
Chou : Cabbage
Citrouille : Pumpkin

Christian : La maîtresse a ajouté que la seconde période de l'année, c'est le printemps. De mai à juin, le froid laisse la place au **beau temps**. Les **oiseaux** sortent de leur cachette et chantent toute la journée. On entend la mésange chanter « *tuii ti tui ti* » et la pie jacasser. Même les **escargots** qui étaient cachés vont sortir pour profiter du beau temps, on peut admirer leurs **magnifiques coquillages**. Les feuilles recommencent à pousser sur les arbres et les **fleurs** sont très belles et sentent très bon.

Maman : C'est donc au printemps qu'on part souvent en **pique-nique** à la **campagne** ?

Christian : Exacte maman ! Et quels sont les fruits et légumes en cette saison ?

Maman : Les fruits et légumes qu'on pourra consommer sont par exemple la **fraise**, le **kiwi**, la **pomme**, le **melon ...** et les **asperges**, la blette, la **fève**, les fenouils...

Beau temps : Good weather
Oiseaux : Birds
Escargots : Snails
Magnifiques coquillages : Beautiful shells
Fleurs : Flowers
Pique-nique : Picnic
Campagne : Countryside
Fraise : Strawberry
Kiwi : Kiwi
Pomme : Apple
Melon : Melon
Asperges : Asparagus
Fève : Bean

Christian: Ensuite, c'est l'été ! Ça commence de mi-Juin à mi-septembre. C'est la période des vacances, c'est là qu'il fait le plus chaud. Le temps est magnifique pour aller à la plage **plage**. On peut **bronzer**, se baigner et jouer à la plage sans être inquiété.

Maman : C'est également pendant cette période que je t'amène très souvent dans les festivals que tu aimes tant. Difficile de remarquer qu'en cette période de l'année, les journées sont plus plus longues que d'habitude. En fait, la journée dure 19 heures avant le coucher du soleil. Les fruits disponibles sont le melon, la pêche, l'abricot, la mirabelle, la **cerise** ...et les légumes et aromates sont l'**oignon**, la fève, la carotte, la courgette, la **tomate**...

Plage : Beach
Se bronzer : To sunbathe

Cerise : Cherry
Oignon : Onion
Tomate : Tomato

Christian : Enfin, c'est l'automne. Ça commence en septembre et fin en début décembre c'est l'automne. Maman, peux-tu me parler d'elle ? Je ne me rappelle plus de grand-chose.

Maman : Durant l'automne, les jours deviennent plus courts. En fait, la nuit tombe très vite. A peine il est 18 heures que tu verras que le ciel est déjà noir et que la nuit s'est déjà installée. Tu constateras qu'en te baladant, il y a un **vent silencieux** qui fait tomber les feuilles des arbres. Chaque matin à ton réveil, tu verras que les **parcs** sont toujours pleins de feuilles mortes au sol. Les feuilles qui sont d'habitude vertes grâce à la lumière du soleil commencent à devenir petit à petit jaunes et pâles parce qu'elles ne reçoivent plus beaucoup de soleil. Les **champignons** poussent un peu de partout, mais il faut faire attention. Tous les champignons ne sont pas bons pour la santé donc il faut être sage. C'est aussi la grande saison des **raisins**. Savais-tu qu'on fabrique le vin avec du raisin ?

Christian : Non maman, je l'ignorais.

Maman : Maintenant tu le sais. Et les autres fruits qu'on consomme beaucoup sont : la datte, le kaki, la châtaigne, le marron...et les légumes sont la betterave, le brocoli, le potiron, les poireaux, la courge…

C'est ainsi que Christian a pu compléter ses connaissances et mieux comprendre comment distinguer chaque saison.

Vent : Wind
Silencieux : Quiet
Parcs : Parks
Champignons : Mushrooms
Raisins : Grapes

Des questions - Chapitre 10

1) Quelle est la première saison de l'année ?

A) L'automne
B) L'hiver
C) L'été
D) Le printemps

2) Durant quelle saison entend-on les oiseaux chanter toute la journée ?

A) L'automne
B) L'hiver
C) L'été
D) Le printemps

3) Dans quelle saison peut-on aller à la plage et aux festivals sans crainte ?

A) L'été
B) L'hiver
C) L'automne
D) Le printemps

4) Dans quelle saison les jours deviennent plus courts que d'habitude ?

A) L'été
B) Le printemps
C) L'hiver
D) L'automne

5) Pourquoi durant l'automne, les feuilles des arbres deviennent jaunes ?

A) Parce qu'elles reçoivent trop de soleil
B) Parce qu'elles ne reçoivent plus beaucoup de soleil
C) Parce qu'il fait très froid
D) Parce qu'il fait très chaud

Les réponses - Chapitre 10

1. B
2. D
3. A
4. C
5. B

CPSIA information can be obtained
at www.ICGtesting.com
Printed in the USA
LVHW021231110520
655010LV00001B/16